愛知県ＪＫ制服目録

さといも屋

桜山社
SAKURAYAMA SHA

［イラスト］ ※右上から順に記載

カバー表　明和／清林館／愛知淑徳／千種／東邦／名古屋西／聖霊／岡崎

カバー裏　金城学院

カバー袖（表）　日進／西春／桜丘／名城大学附属

カバー袖（裏）　中部大学春日丘／名古屋経済大学市邨／東浦／椙山女学園

表紙　菊里／豊橋南／東海学園／名古屋商業／中京大学附属中京／東海南
杜若／幸田／刈谷北／南山女子部

裏表紙　旭丘／名古屋南／北／熱田／名古屋国際／高蔵寺／滝／南山国際
国府／三谷水産

はじめに

令和元年から5年までの間に、２００校以上ある愛知県の高校のうち約4分の1が制服のモデルチェンジを実施もしくは決定しました。どの学校の新制服も、生徒が快適に着用できることを第一に考えられており、学校ごとの個性も取り入れた、すてきなデザインのものが採用されています。しかし、制服の形はどの学校も似たようなものになってきています。

令和元年以降に県内の高校で新しく採用された女子制服は全て「ブレザー」型。高校だけでなく、市町村内の公立中学校の制服を全てブレザーに統一するという自治体も増えてきています。本文でも詳しく触れていますが、ＳＤＧｓが掲げる「多様性」に配慮するために、性差の少ないデザインのブレザーが選ばれているのです。

愛知県はもともと、他の都道府県と比べてセーラー服の学校が多いと言われていましたが、今後はそういった特徴もなくなっていくのかもしれません。「名古屋襟」を始めとした制服の地域差によるご当地ネタも、過去の話題となりつつあります。

制服モデルチェンジの推進によって、個々の多様性は尊重されるようになりましたが、制服を服飾文化としての側面から捉えると、むしろ多様性が失われているように感じます。時代が良い方向に進んでいるのは間違いないのですが、その裏では一つの文化が消えていくような、そんな現状を目の当たりにし、私はどうにもやるせない気持ちになっていました。そんな折、出版社の桜山社さんより、私がこれまで趣味で描いてきた愛知県の女子高生制服のイラストをまとめて、書籍化してはどうかとお声掛けいただきました。そうして出来上がったのがこの本です。県内の高校の9割以上にあたる２０８校分の女子制服をイラスト化して収録させていただきました。地元の方々の青春の思い出が詰まった制服を数多く記録に残すことができ、嬉しく思っています。

以上のコンセプトから、本書に収録されている「制服目録」のイラストは、令和5年現在最新のものではなく、令和以降のモデルチェンジラッシュが始まる前の平成30年時点のデザインを基本としております（一部例外あり）。ご理解の上、ごゆっくりお楽しみいただければ幸いです。

※本書の掲載内容へのお問い合わせは、出版社もしくは著者へご連絡ください。各学校様に直接問い合わせることのないようお願いいたします。

目次

[魅惑の水色名古屋襟]

西春高校の夏服・合服と愛知淑徳高校の夏服は、
目の覚めるような爽やかな水色の名古屋襟のセーラー服。
愛知県の夏を涼しげに彩る風物詩のような制服です。

— 県立西春高校 合服

— 私立愛知淑徳高校 夏服

[名古屋襟が語る姉妹校の歴史]

春日井高校は、昭和38年に旭丘高校から分離独立して発足。
制服は旭丘高校のえび茶色ライン入り白襟セーラーに
ラインを1本足したものが定められ、現在に至ります。
制服を見ただけで学校の歴史が見て取れる、素敵なデザインですね。

県立春日井高校　冬服

県立旭丘高校　冬服

[豪華絢爛！ 金銀名古屋襟]

金色の1本線入り白襟セーラー・天白高校と、
銀色の2本線入り白襟セーラー・津島東高校が並ぶと、金銀名古屋襟コンビの完成です。
白い襟に眩しく輝くラインがよく映えます。

※天白高校のイラストは令和3年度以前入学生までの制服です。※津島東高校は令和5年度より制服モデルチェンジ予定です。

県立津島東高校　冬服

県立天白高校　旧冬服

[ナゴヤ自慢のおしゃれブレザー]

名東高校は昭和59年の開校時に、名古屋の公立高校の中でいち早く
英国風のブレザー制服を取り入れ、超人気校となりました。
愛知みずほ大学瑞穂高校も昭和63年と早い段階からタータンチェックのスカートを採用。
瑞穂のシンボルとして愛され続けています。

―私立愛知みずほ大学瑞穂高校
冬服

―市立名東高校
冬服

[セーラーとブレザーの融合!?]

桜花学園高校や名城大学附属高校の制服は、
セーラーとブレザーが合体したようなデザイン。
セーラー襟のかわいらしさとブレザーのカッコよさがどちらも楽しめる、
いいとこ取りの制服です。

私立桜花学園高校　冬服

私立名城大学附属高校　冬服

[知多半島を彩る赤青セーラー]

常滑高校の赤ライン入りセーラーブラウスと、東浦高校の青ライン入りセーラー服は、
海辺の景色に映える華やかさ満点の制服です。
名古屋襟とは異なる小さめの襟が、よりスタイリッシュな印象を与えます。

※両校共に令和5年度より制服モデルチェンジ予定です。

県立常滑高校　合服

県立東浦高校　合服

[絶滅寸前!? ベレー帽の制服]

聖霊高校と光ヶ丘女子高校は、正装時の制服としてベレー帽が存在する貴重な学校。
古典的な装いの制服とベレー帽の組み合わせは、
ミッション系女子校らしい清楚さを感じます。

── 私立聖霊高校 合服

── 私立光ヶ丘女子高校 合服

[西三河トップ校の伝統制服]

刈谷高校と岡崎高校は、どちらも愛知県屈指の進学校。

刈谷はエンジ色のライン入り白襟セーラー、岡崎は裃《かみしも》型のジャンパースカートがトレードマーク。

トップ進学校の威厳を示す、伝統の制服です。

※刈谷高校は令和5年度よりブレザータイプの制服も追加される予定です。

県立刈谷高校　冬服

県立岡崎高校　合服

[東三河ならではの個性派制服]

主に東三河地域の学校で見られる、菱形へちま襟の変形セーラー。
御津高校の夏服や、豊橋東高校の冬服・夏服などで採用されています。
不思議な形だけど、どこかレトロさを感じるかわいいご当地制服です。

※御津高校は令和5年度より「御津あおば高校」に改称し、制服も変更予定です。

令和の最新制服事情

令和を迎えてから、制服のモデルチェンジを行う学校が急増しています。その背景にあるのは「多様性への配慮」。性別に関わらず自由に選んで着ることができる「ジェンダーレス制服」が注目されつつあります。

令和以降に導入された制服のほとんどは、男女共通のブレザースタイル。男女関係なく、ネクタイとリボン、スラックスとスカートを自由に選べるのが特徴です。

また、ブレザーのボタンがワンタッチで付け替えられる仕様になっており、ボタンの合わせを自由に変更できる制服も登場しています。

右前合わせ

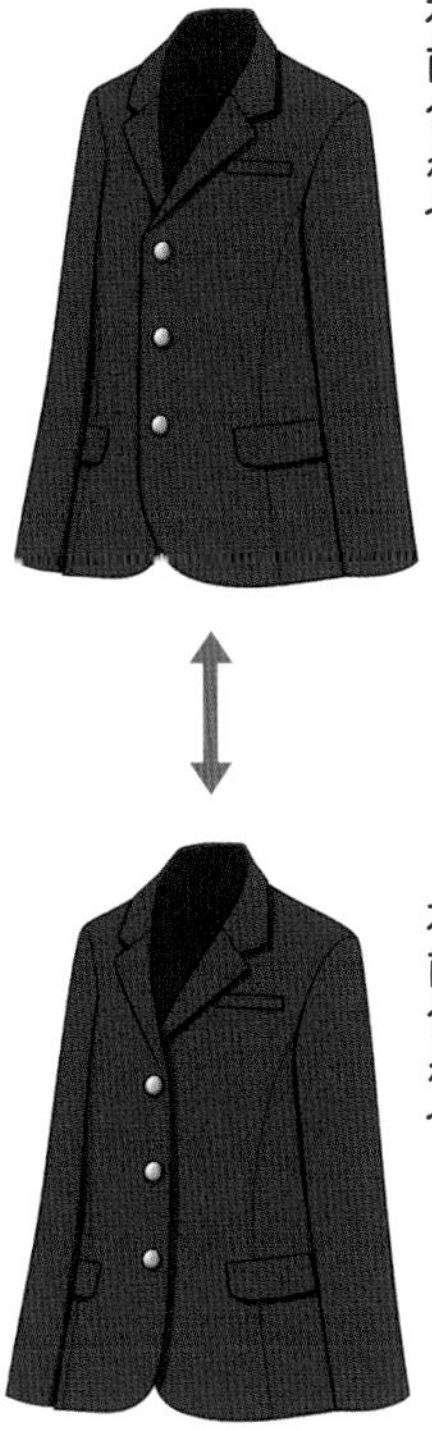

左前合わせ

詰襟・セーラー服はどうなるの？

こういったジェンダーレス・スタイルは、ブレザーならではの仕様。詰襟・セーラー服は、時代の動きとともに次々と減少しています。しかしその一方で、伝統を維持したいという学校もまだまだあります。詰襟・セーラー服が急になくなることはなさそうですが、制服を取り巻く状況は刻一刻と変化しています。制服の未来は誰にも予想がつかないでしょう。

【名古屋襟って何？】

愛知県のセーラー服は
他の地域より襟が大きい
という傾向があります

その特有の大きな襟は
通称「名古屋襟」と
呼ばれています

実は、セーラー服の襟の大きさや
形状には地域差があり
それぞれの地域別に呼び名が
付いているのです

札幌襟

曲線的で横幅が広く、浅い襟
胸当て※は無いことが多い

関東襟

浅めの一般的な襟
胸当てはあるものと
無いものがある

関西襟

直線的で深めの襟
胸当ては必ずある

名古屋襟

胸下まである、かなり深い襟
胸当ては必ずある

※襟と襟の間の逆三角形の部分のこと

一般的にドラマやアニメ等の
フィクションに登場するセーラー服は
関東タイプが多いため、
愛知のセーラー服は
他の地域の人からすると
見慣れない形かもしれません

なんか襟大きくない？
え？普通でしょ

逆に愛知ではこの形が当たり前と
思っている人も多いかと思います

【 白襟カバーについて 】

愛知県では白い襟のセーラー服をよく見かけますがこれも他の地域では非常に珍しいのです
そうなの?
この白襟は「襟カバー」と呼ばれるものをセーラー服の襟にボタンで留めて装着するという仕組みになっています
ON
白襟カバーはもともと本来の襟を汚さないようにするための普段着として採用されたもので
あっ
ポロッ
式典など正装の場面では襟カバーを外す学校もあります
学校によっては卒業式の日に友達同士で襟カバーに寄せ書きをするというちょっと変わったご当地文化があったりします
わーい♡
あとであたしのも書いてねー
ずっと仲良し
大スキ!!
3年間ありがと☆
また遊ぼーね
これからも心友♡さや

【地域差の理由】

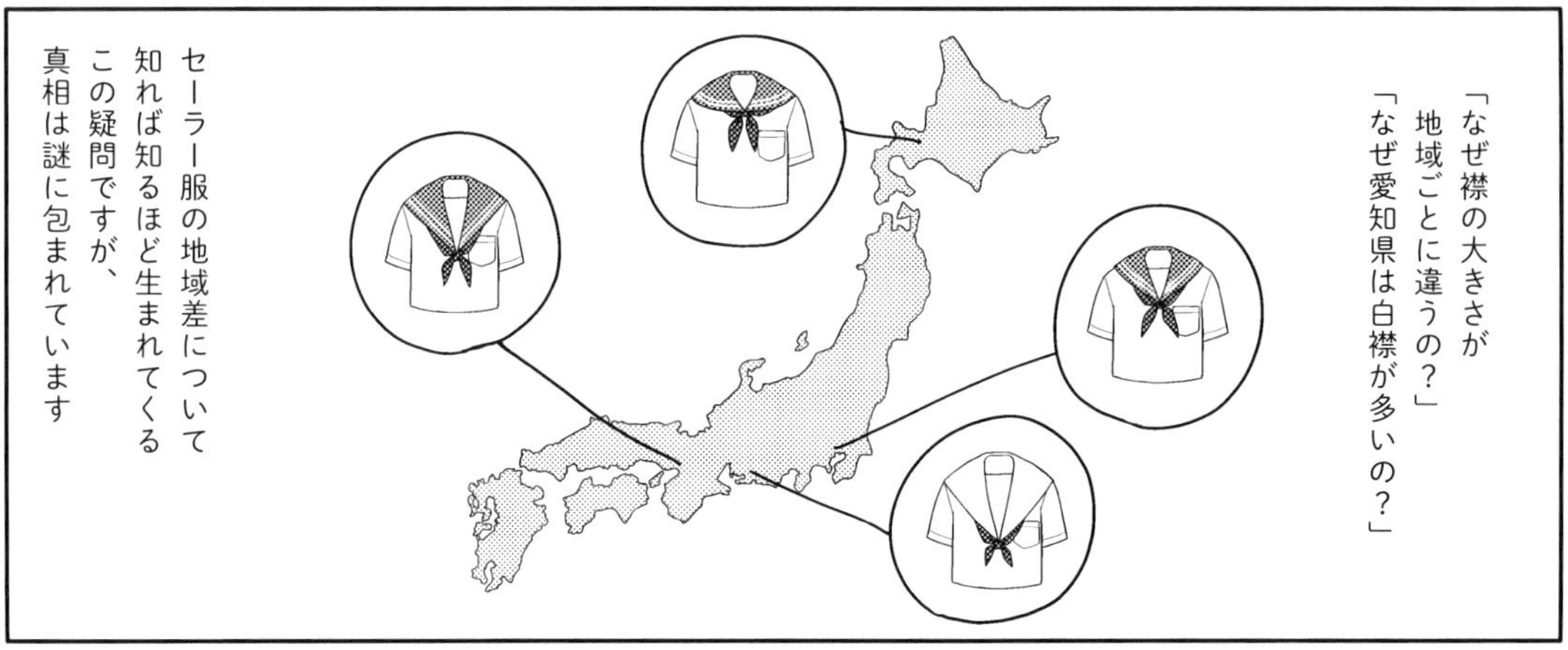
「なぜ襟の大きさが
地域ごとに違うの？」
「なぜ愛知県は白襟が多いの？」
セーラー服の地域差について
知れば知るほど生まれてくる
この疑問ですが、
真相は謎に包まれています

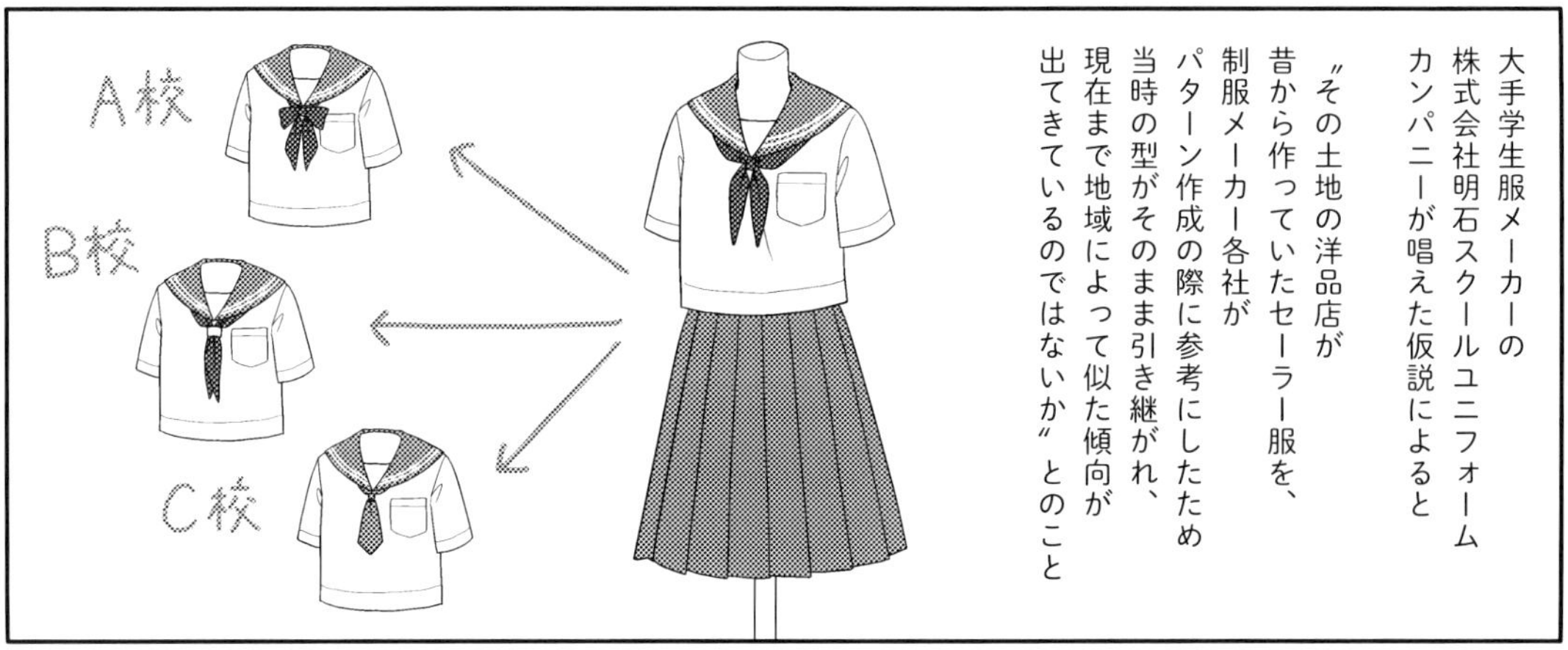
大手学生服メーカーの
株式会社明石スクールユニフォーム
カンパニーが唱えた仮説によると
〝その土地の洋品店が
昔から作っていたセーラー服を、
制服メーカー各社が
パターン作成の際に参考にしたため
当時の型がそのまま引き継がれ、
現在まで地域によって似た傾向が
出てきているのではないか〟とのこと
A校
B校
C校

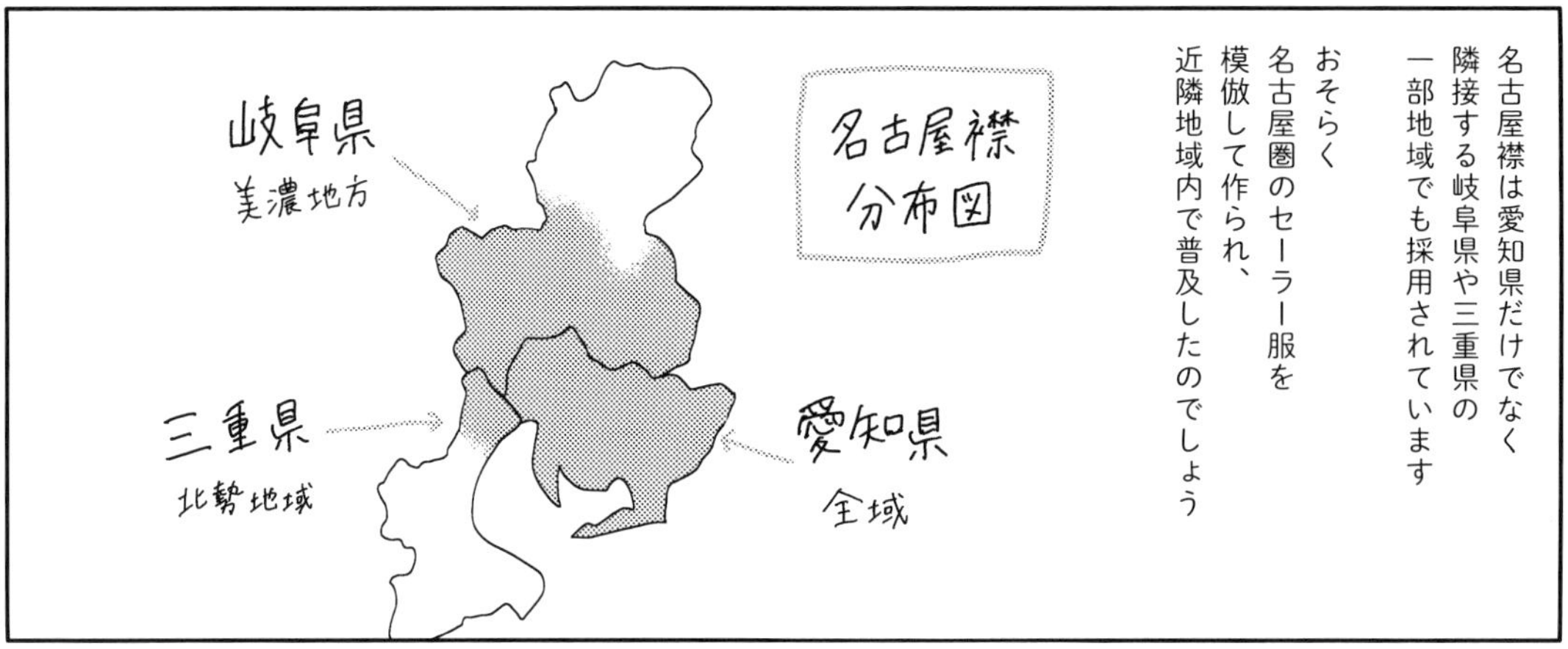
名古屋襟は愛知県だけでなく
隣接する岐阜県や三重県の
一部地域でも採用されています
おそらく
名古屋圏のセーラー服を
模倣して作られ、
近隣地域内で普及したのでしょう
名古屋襟
分布図
岐阜県
美濃地方
三重県
北勢地域
愛知県
全域

では名古屋襟ができたのは
いつからなのでしょうか
次のページから名古屋市の高校の
セーラー服に関するエピソードを
いくつか紹介していきます
まずは最も古いセーラー服の歴史を持つ
キリスト教系私立女子校の
金城学院の事例からご紹介します

参考文献：明石SUC公式Twitter

【名古屋襟の歴史～金城学院の場合～】

大正10年9月、
金城女学校（現在の金城学院）は
制服の洋装化に取り組み、
セーラー服を制服としました
これは日本の高等女学校で
最初だったとも言われています
当時定められた制服は、現在のものより襟が小さめで
白いラインが2本もしくは3本入ったものでした
ラインの本数や位置は自由だったため
襟と袖口だけでなく、胸当てやポケットにも
ラインを入れる人もいました
昭和12年に日中戦争が始まると、
物資不足からラインの数が2本、1本と減っていき
襟も更に小さくなっていきました
大きな襟は生地をたくさん使うため
戦時中は普及が難しかったのです
昭和16年に太平洋戦争が始まると
スカートの着用が禁止され、
セーラー服にモンペという姿が
見られるようになりました
戦後しばらくしてセーラー服上下が復活し、
ラインの数は1本に、
位置は襟と袖口のみと決められました
当初はポケットの辺りに付けることもあった
紅十字の校章バッジは、
胸当てに付けるようになりました
戦後の復興とともに襟も大きくなっていき
昭和40年代にはほぼ現在のような制服が
完成していました
現在の制服
残った1本の白ラインには
戦火を生き抜いた歴史を忘れず
平和な時代になったことを感謝したいという
思いが込められています

参考文献：金城学院創立百周年記念文集「みどり野」／目で見る金城学院の１００年史
『セーラー服の誕生：女子校制服の近代史』／金城学院公式サイト

【名古屋襟の歴史～桜台高校の場合～】

桜台高校の制服が現在と同じ
白線3本のセーラー服になったのは
昭和26年のことでした
当時の女子生徒は
まだ体格が小さかったため
襟ぐりが小さく、胸当てのないものでした

戦後の復興とともに体格も向上し
胸ダーツが入り、胸当ても付くようになりました

時代とともに襟は大きくなっていき
昭和59年の資料ではすでに
大ぶりの名古屋襟が完成していました
戦後の体格の成長に合わせて
着脱しやすい形に変化していったということも
大きな襟が誕生した一因と考えられます

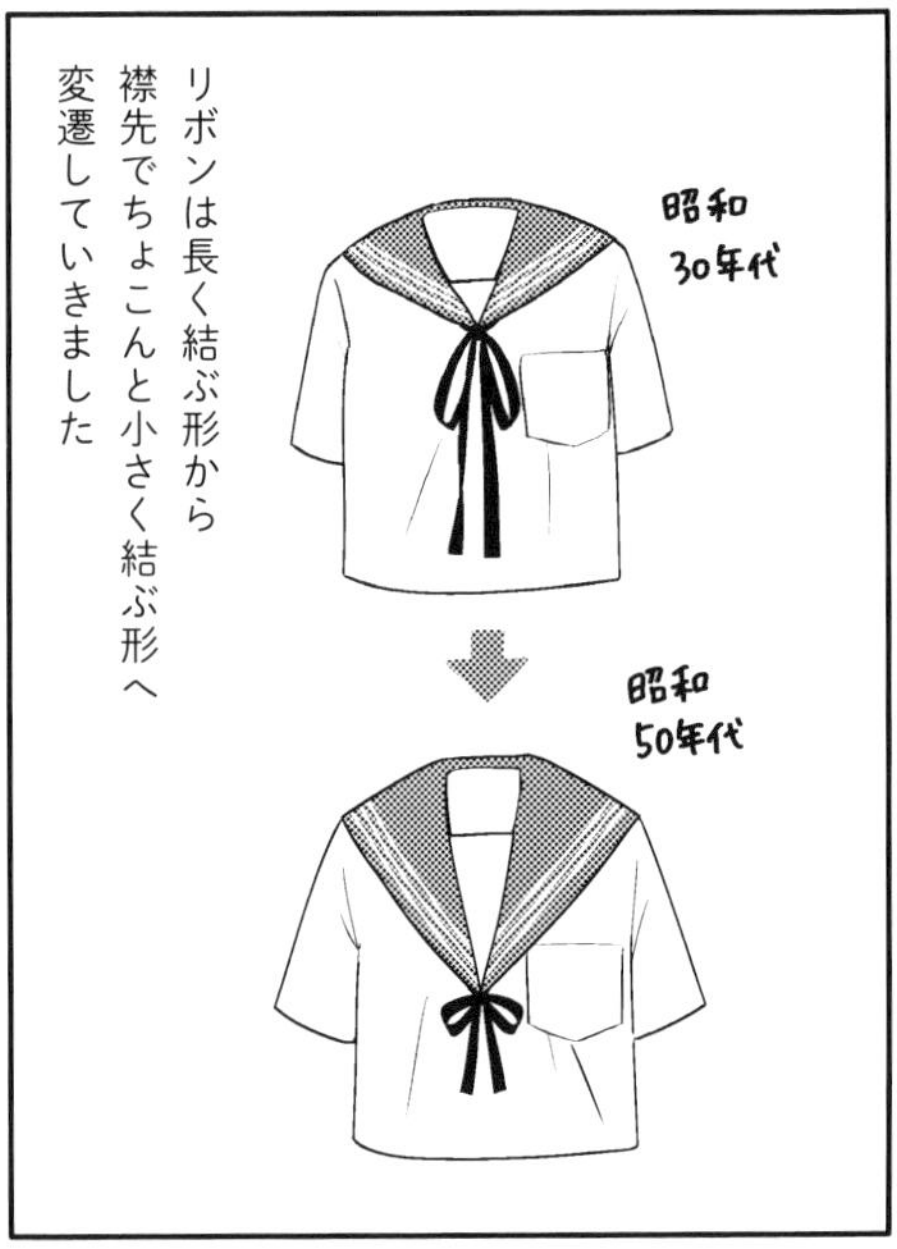
昭和30年代
昭和50年代
リボンは長く結ぶ形から
襟先でちょこんと小さく結ぶ形へ
変遷していきました

そんな桜台高校ですが、平成26年に
制服のマイナーチェンジが実施され、襟はやや小ぶりに
ファスナーは脇開きから前開きに
リボンは既製のリボンタイに変更されました
平成25年度以前
平成26年度以降
現在までにかけての桜台高校の制服の変遷は、
時代の流れに沿ってより機能的な形に
アップデートしていく制服の様子が
非常によくわかる一例です

参考文献：桜台高校60周年記念誌

【 名古屋襟の歴史～明和高校・菊里高校の場合～ 】

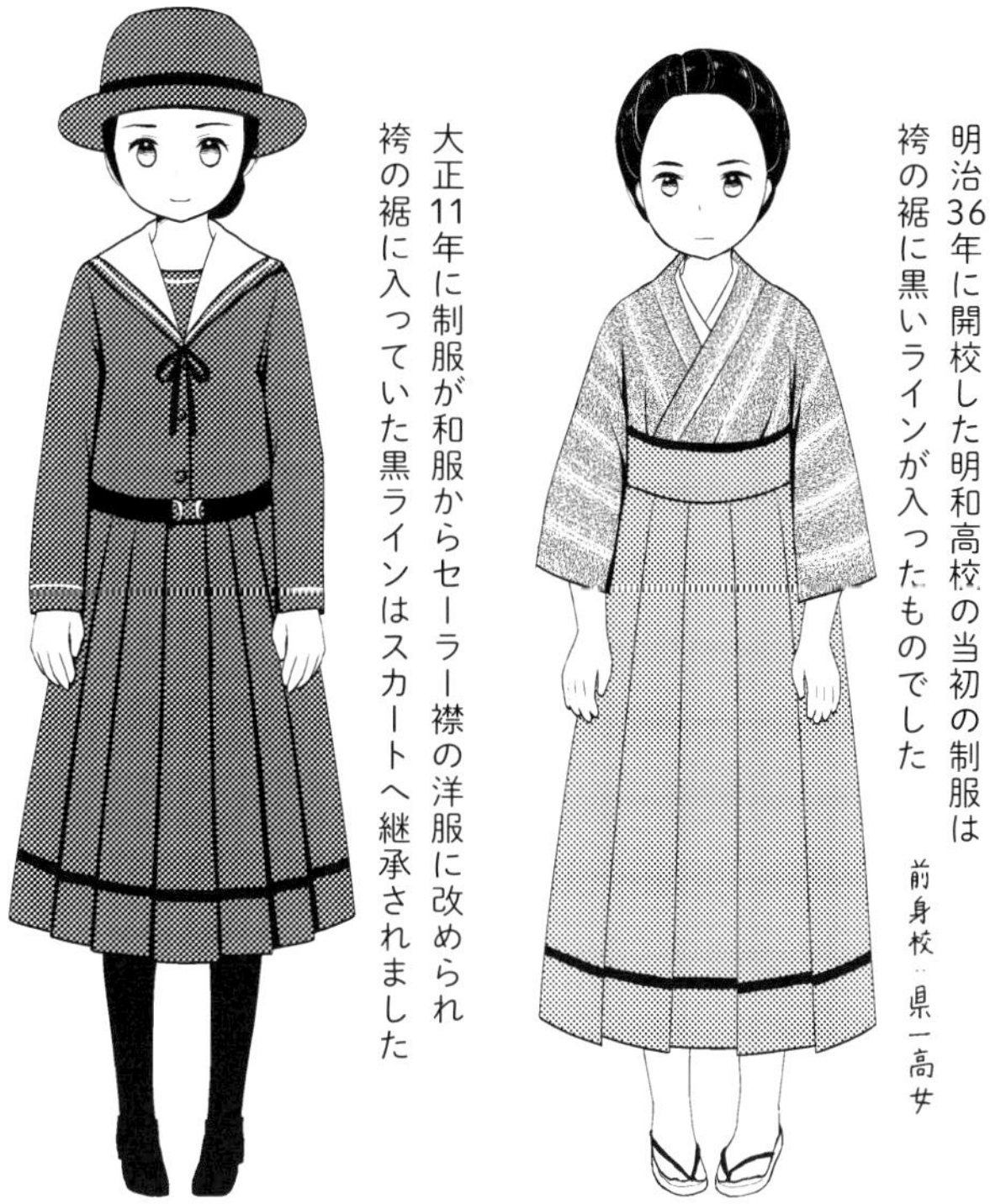
明治36年に開校した明和高校の当初の制服は
袴の裾に黒いラインが入ったものでした
前身校：県一高女
大正11年に制服が和服からセーラー襟の洋服に改められ
袴の裾に入っていた黒ラインはスカートへ継承されました
この時、すでに襟には白襟カバーが付いていました
※このイラストは資料の記述を元に独自に描き起こしたもののため
実際の当時の制服とは異なる可能性があります

現在の制服にも白襟と黒ラインは受け継がれており
昔の制服の面影が感じられます

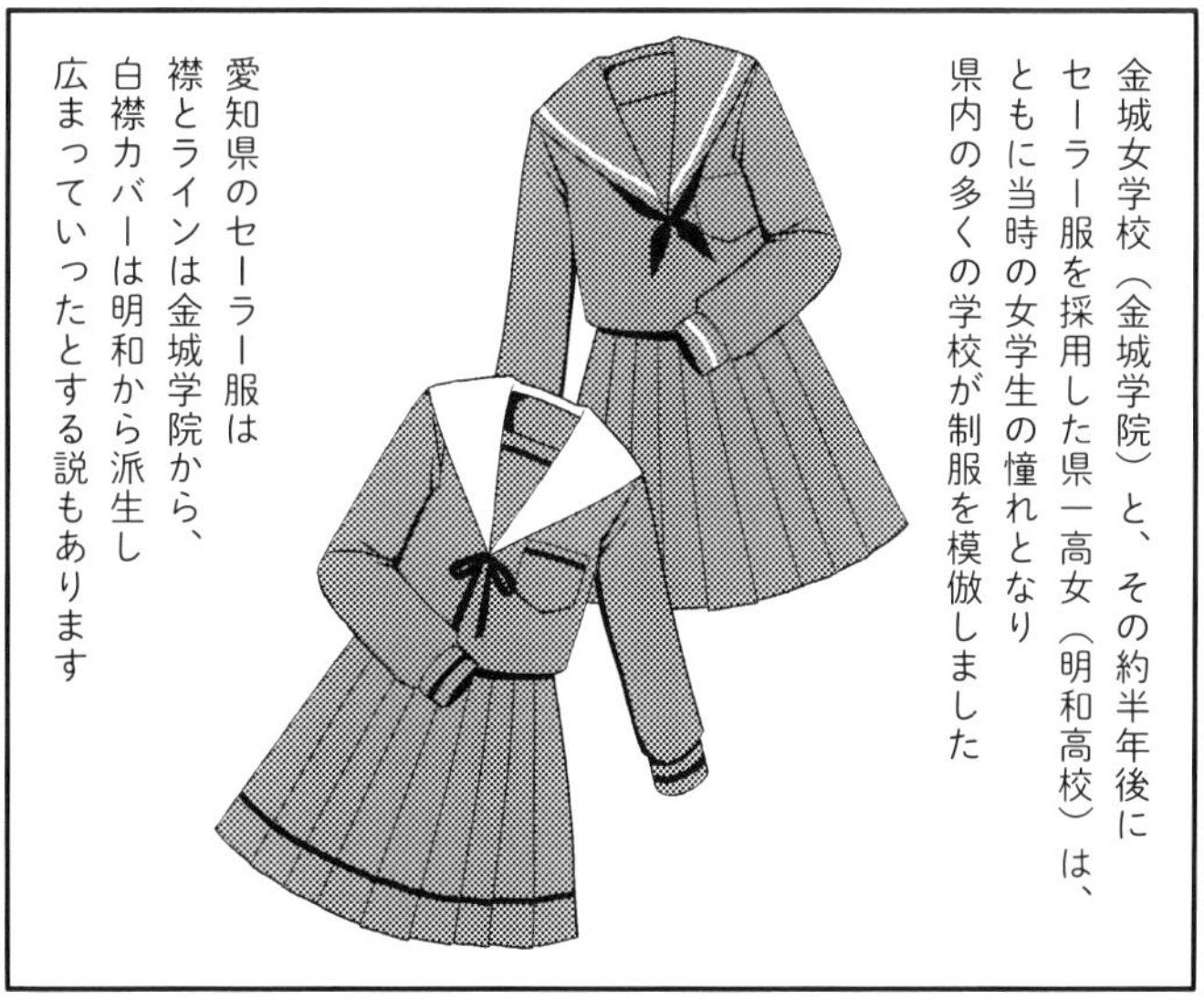
金城女学校（金城学院）と、その約半年後に
セーラー服を採用した県一高女（明和高校）は、
ともに当時の女学生の憧れとなり
県内の多くの学校が制服を模倣しました
愛知県のセーラー服は
襟とラインは金城学院から、
白襟カバーは明和から派生し
広まっていったとする説もあります

明治29年に開校した菊里高校も
明和高校と同じような経緯で
袴からセーラー服の制服へと移り変わりました
前身校：市一高女
白ライン入りの袴

大正11年にセーラー服が制定され
しばらくは和服と洋服が入り混じった
状態でしたが、徐々に
セーラー服に統一されていきました

袴に入っていた白ラインは
スカートの両側に付けられ
令和まで受け継がれています
菊里の誇り
ホワイトライン

参考文献：愛知県第一高等女学校史／菊里高校創立百周年記念誌
『セーラー服の誕生：女子校制服の近代史』

【名古屋襟の歴史～旭丘高校・名古屋西高校の場合～】

旭丘高校の前身校の一つである
市立第三高等女学校は大正13年に開校
当時の制服は
無地の白襟カバーを付けた
セーラー服でした
三稜の徽章付きの帽子
白カフスのセーラー
昭和23年
県立第一高等学校（男子校）との
統合により男女共学化し
現在の旭丘高校が発足
翌年の昭和24年に現行の制服が
制定されました
「平和を意味し、地味で高尚な
気品をもつ色彩」ということで
えび茶色のラインの入った
白襟セーラー服に決定
最初はまだ襟が小さかったが徐々に大きくなっていった
しかし進学校ゆえ校則が緩く
私服での登校も黙認のため
現在はまともに制服が着用されるのは
入学式くらいだとか
えっ!? 旭丘って制服あったの!?
あるんだな実は
黒ライン入りの白襟セーラー服で
よく知られている名古屋西高校も
当初の制服は無地の白襟カバーが付いた
小さな襟のセーラー服でした
昭和25年から26年にかけて
白襟にラインが入るようになり
現在とほぼ変わらない制服が
完成していました
大きい襟と小さい襟が混在していたが徐々に大きい襟に統一されていった
旭丘と名古屋西の例を見ると
白襟にラインが入るようになったのは
戦後からで、この2校が
先駆けとなったようです
これらの制服を倣ってか
愛知県内で昭和中期から
後期にかけて開校した学校では
白襟にラインを入れたセーラー服が
多く制定されました
春日井高校
昭和38年 旭丘高校より分離独立して開校
天白高校
昭和52年 新設開校
西春高校
昭和53年 新設開校

参考文献：鯱光百年史／名古屋西高校創立90周年記念誌

【消えゆく名古屋襟】

このように歴史と伝統のある名古屋襟のセーラー服ですが、平成に入った頃からは愛知県内の女子高生の間で「大きい襟や白襟はダサい」という風潮が生まれました

中学生
なんかダサい…
高校生
イケてるおしゃれ

県内の公立中学校のほとんどが名古屋襟だったこともあり「名古屋襟」=洗練されていない、子供っぽい」というイメージがついてしまったのでしょう

「中学生と変わり映えしない制服」に不満が募り、名古屋襟を着る女子高生の間では独自の制服アレンジが流行しました

これをこうして…
こうじゃ

スカーフをギュッと上に詰めて結んだり、安全ピンで留めたりして襟を小さく見せたのです

中には胸当てを外してしまう子もいました

着崩しブームがピークを迎えた平成後半頃からは、名古屋襟の制服を廃止して関東風の小さい襟に変更する学校が次々と現れました

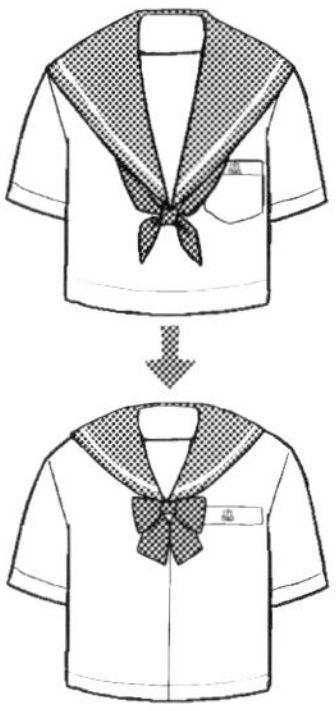

例：惟信高校（平成26年）

かつてNHKで放送されていた『中学生日記』の制服も名古屋襟から浅めの襟にリニューアルされるなど、フィクションの世界にも影響は及びました

平成20年度以前
平成21年度以降

更に昭和末期から平成にかけて東京から始まり全国に波及した「制服モデルチェンジブーム」もあいまって、セーラー服を廃止してブレザーを採用する学校も増え名古屋襟は次々と姿を消していきました

東京の私立女子校を皮切りにブレザー×チェックのスカートが大流行

参考文献：『ニッポン制服百年史』

【制服の文化的価値】

そして令和時代に入り、
制服業界に新たな動きが生まれました

それは
制服の「ジェンダーレス化」

多様性が重視される時代に合わせて
制服の性差をなくしたり、選択肢を増やそう
という動きが活発になってきたのです

元々ブレザーを採用していた学校では
女子生徒もスラックスを選べるようにしたり、
セーラー服を採用していた学校では
男女共通デザインのブレザー制服に
モデルチェンジする
という例が増えてきています

こうして、名古屋襟を始めとした
「昔ながらの制服」は
どんどん減ってきています

全国で同じようなコンセプトの制服が
採用されていくことによって
制服の地域差もなくなっていく
一方でしょう

リボンとネクタイが選べる！
ノーアイロン仕様！
成長に合わせて袖丈を調節できる
家庭洗濯可能！
スリムに見えるシルエット
プリーツが崩れにくい加工済
キュロットやスラックスも選べて防犯・防寒対策

確かに新しく採用された制服は
機能的にも優れており、生徒にとって
とても着心地の良いものだと思います

しかし、古くからあった制服が
消えていくことに少し寂しさを覚える
のは私だけでしょうか？

デザインや着こなしから学校の個性が
伺えたり、時には街並みを彩る
風景としての役割を担ったり…制服には
様々な文化的要素が詰まっています

特に古くから
地域で愛されてきた制服は、
その学校の伝統と誇りを表すものです

とはいえ、制服はあくまでも
「生徒のため」のもの
時代に合わせたアップデートも必要です

今後進化を遂げていく制服も、
学校ごとの個性を大切にした
ものであって欲しいと願います
そして新たな伝統を築いていくことを
期待しています

モデルチェンジによって消えていく
これまで地域で愛されてきた
制服を記録するため、
今回の「制服目録」を収録しました

次のパートからごゆっくり
お楽しみください

Aichi JK
Seifuku
Mokuroku

県立愛知総合工科高校

〈あいちそうごうこうか〉

名古屋市 千種区

愛知工業高校と東山工業高校の統合により、平成28年に新設された高校。全国の公立高校で初となった、ＢＥＡＭＳデザインの制服を採用している。一際目を引く赤のニットタイや、タッターソールチェックと呼ばれる2色の線で構成された細かいチェック柄のブラウス・スカートは、ＢＥＡＭＳらしいアメリカントラッドな雰囲気を感じさせる。スカートの裾など、各所にＢＥＡＭＳのロゴマークがあしらわれている。

県立旭丘高校

〈あさひがおか〉

名古屋市 東区

県内の多くの公立校で採用されている、基本的な形状の白襟セーラー服。襟にはスクールカラーであるえび茶色のラインが入っている。非常に自由闊達な校風で、制服が定められているにも関わらず、私服での登校も黙認されている。入学式と部活動の試合や大会では制服を着用するが、普段は私服で登校する生徒が多い。旧制中学時代から続く伝統から成る生徒との信頼関係のもとに、県下随一の自由な校風が成り立っているといえる。

県立明和高校

〈めいわ〉

名古屋市 東区

基本的な形状の白襟セーラー服だが、胸当て・ポケット・袖口・スカートの裾に黒いラインが入っているのが特徴。スカートのラインは、明治36年の前身校開校時に着用されていた袴の裾の「毛べり」が由来とされている。袴からセーラー服へと受け継がれてきたこのラインは、明和の歴史を表す重要なアイデンティティとなっている。夏のセーラー服は紺色の襟に極太の白ラインが入っており、遠くからでもよく目立つ。

県立愛知商業高校

〈あいちしょうぎょう〉

名古屋市 東区

昔ながらのシングル3つボタン濃紺ブレザーに黒い紐リボンの制服。

令和3年度からはエンジ、紺色のネクタイおよびリボンも導入され、その日の気分に合わせて好きな色のネクタイやリボンを着用できるようになった。式典等の正装時には従来の黒リボンを着用する。

夏服のオーバーブラウスは平成28年に導入された。

前立ての上半分が水色になっており、濃さの異なる2本のブルーのラインが入っている。

令和5年度には、新たなデザインのブレザー制服へのモデルチェンジが予定されている。

県立城北つばさ高校

〈じょうほくつばさ〉

名古屋市 北区

平成29年に開校した、単位制による定時制の高校。愛知工業高校の定時制課程を前身とし、旧愛知工業高校の校舎を引き続き使用している。昼間部と夜間部があり、昼間部のみ制服がある。ブレザーは一般的な形だが、スカートはフレアスカートとプリーツスカートを合体させたようなユニークなデザイン。前面の箱ヒダ部分のみチェック柄が斜めになっている。冬服のブラウスは襟と袖口が白、身頃が水色だが、夏服のブラウスは逆に襟と袖口が水色、身頃が白となっている。

県立名古屋西高校

〈なごやにし〉

名古屋市 西区

黒1本線入りの白襟が特徴的なセーラー服。襟のラインはとにかく太く、遠くからでもすぐに識別できる。リボンはもともと平たい紐状のものが指定だったが、指定外のリボンタイを付けてくる生徒が増えた結果、平成23年度からは公式に黒のリボンタイが指定となった。大きな白襟と存在感のある黒ライン・黒リボンのコントラストが映える、名古屋ならではのセーラー服。

県立中村高校

〈なかむら〉

名古屋市 中村区

紺色の襟のオーソドックスなセーラー服。襟のラインが2本のセーラー服は中学校で多く採用されているが、高校では意外と少なく、名古屋市内の公立高校では中村高校のみである。リボンはもともと黒の三角スカーフが指定されていたが、黒色であればリボンタイに替えることも認められており、現在はほとんどの生徒が黒のリボンタイを着用している。

県立松蔭高校

〈しょういん〉

名古屋市 中村区

紺色の襟に白1本ラインのオーソドックスなセーラー服。当初の制服は白襟カバー付きだったが、昭和30年頃に廃止された。襟の1本ラインは太くよく目立つが、明和高校の夏服や名古屋西高校と比べるとやや細め。平たい紐状の黒リボンは昔から変わらない伝統のものだが、普段はリボンを付けない生徒も多い。令和5年度には、ブレザータイプの制服へのモデルチェンジが予定されている。

県立瑞陵高校

〈ずいりょう〉

名古屋市 瑞穂区

非常にプレーンで古典的な、無地の白襟セーラー服。夏服・合服は紺色の襟に白の3本ラインが入る。全く同じデザインの制服が県内の公立中学校でも多数採用されている。令和4年度より、これまでの「学ラン」「セーラー服」に加えて男女共通の「ブレザー＋スラックス」の制服も導入された。

県立昭和高校

〈しょうわ〉

名古屋市 瑞穂区

襟のないイートンジャケットの下に、開襟シャツを着用する。リボンやネクタイ等は無い、シンプルな制服。

生徒の自主性を重んじる校風ゆえ、各人の個性を活かした多彩な着こなしが見られる。

合服・夏服の時期に着用する紺色のベストは、スクエアネックでレトロな印象。

スカートと同色のため、遠目で見るとジャンパースカートのようにも見える。

令和2年度には指定のニットベスト・セーターも導入され、着こなしの幅が広がった。

県立熱田高校

〈あつた〉

名古屋市 熱田区

紺色の襟に黒ラインという、珍しい配色のセーラー服。
冬服は白い部分が全く無いため、シックで落ち着いた印象。
リボンはもともと平たい紐状のものが採用されていたが、いつからかリボンタイが着用されるようになった。
一時期は黒と紺色のリボンが混在していたが、平成25年度入学生から紺色のリボンに統一された。

県立中川商業高校

〈なかがわしょうぎょう〉

名古屋市 中川区

明るい紺色の生地が特徴的なブレザー。ブレザーの中には指定のベストを必ず着用する。

開校当初は一般的な濃紺のブレザーだったが、平成5年度に現行の制服に一新された。

当初は夏服用の水色のリボンが存在したが、
平成28年度入学生からは冬夏兼用で赤色のリボンを着用するようになった。

令和5年度には学科改編に伴い校名を「中川青和高校」に変更し、制服を廃止することが決定した。

今後は制服の代わりに市販のビジネススーツを着用する形となる。

県立惟信高校

〈いしん〉

名古屋市 港区

令和3年度入学生まで採用されていた旧制服。
愛知県古来のセーラー服とは明らかに異なる、現代風のセーラー服。
平成26年に実施されたマイナーチェンジにより、基本のデザインを保ったまま機能性が改良された。
暗めの紺色の生地、小ぶりな関東風の襟、前開きのファスナー、ウエストを絞ったプリンセスライン、
チェック柄のリボンタイ、着崩しにくいように設計された親子ヒダのスカートなど、
現代的な要素が多数盛り込まれていた。
令和4年度にモデルチェンジが実施され、現在はブレザー＋赤系チェックスカートの制服に変更されている。

県立南陽高校
〈なんよう〉

名古屋市 港区

濃紺ブレザー＋水色ブラウス＋青系リボン＋青系チェックスカートの爽やかな制服。指定カーディガンに加え、指定ニットベストが白と紺色の2色から選べるなど、豊富なオプションも用意されている。
夏服の開襟シャツは、令和2年度入学生まで採用されていた旧制服。令和3年度から夏服が新しくなり、セーラーブラウス・白ポロシャツ・紺ポロシャツの3種類から選べるようになった。

県立名古屋南高校

〈なごやみなみ〉

名古屋市 南区

冬服

合服

襟のないイートンジャケットの下に丸襟ブラウスを着用し、水色の細いリボンタイを付ける、可憐な印象の制服。

昭和59年の開校時に制定されたもので、当時流行していたボックスプリーツのスカートが採用されている。

合服の時期は指定のベストを着用する。

少し前までは夏はベストを着ないのが主流だったが、近年は夏でもベストを着用する生徒が多い。

令和5年度には、新たなデザインのブレザー制服へのモデルチェンジが予定されている。

県立名古屋工科高校

〈なごやこうか〉

名古屋市 南区

令和2年度入学生まで採用されていた旧制服。冬服はセーラー服、夏服はブラウスという、県内では珍しい組み合わせだった。旧夏服の丸襟ブラウスは平成29年に採用されたもので、襟に学校名の刺繍が英字で入っていたり、校章マークとボタンホールのかがり糸に学年色が使われていたりと、小技が効いていた。令和3年度に校名が名南工業高校から名古屋工科高校に変わり、制服もブレザースタイルに一新された。

県立守山高校

〈もりやま〉

名古屋市 守山区

令和3年度入学生まで採用されていた旧制服。
濃紺ブレザー＋ストライプリボン＋赤系チェックスカートの、女子高生の王道と言えるような制服。
スカートはワインレッド寄りの落ち着いた色味。私立高校のようなデザインで、人気が高かった。
令和4年度に全日制単位制高校に生まれ変わり、制服もグレー系チェックスカートのブレザーに一新された。

県立緑丘高校

〈みどりがおか〉

名古屋市 守山区

グレー襟のセーラーブラウスの上にグレーのイートンジャケットを着用する、個性的な制服。平成30年度に学科改編によって緑丘商業高校から緑丘高校に改称した際、現行の制服に一新された。襟やジャケットには濃紺のパイピングが施されている。襟と胸当て、ジャケットが同色のため、冬服は一見セーラー襟の付いたジャケットのようにも見える。

県立鳴海高校

〈なるみ〉

名古屋市 緑区

明るめの紺色のブレザーに同色のベストとスカート、緑色のネクタイを着用する。緑色はスクールカラー。市内の他の学校にはない色合いのため、ネクタイを見ればすぐに鳴海高校の生徒だとわかる。夏服はネクタイを着用しない、シンプルなスタイル。夏期のベスト着用は任意。令和5年度には、新たなデザインのブレザー制服へのモデルチェンジが予定されている。

県立千種高校

〈ちぐさ〉

名古屋市 名東区

明るい紺色の生地と、襟を縁取るグレーのブレードが特徴的なブレザー制服。4本ボックスプリーツのスカートと合わせて、凛としたOLのような出で立ち。生地の色は、校章にもなっているカキツバタの色をイメージしている。自由闊達な校風により、多種多様な着こなしが見られる。夏服のシャツは白くて襟のあるものなら何でも良いため、各自思い思いの市販品を着用している。

県立天白高校

〈てんぱく〉

名古屋市 天白区

令和3年度入学生まで採用されていた旧制服。白襟に金色のラインが入った個性的なセーラー服。平たい紐状のリボンは市内の公立校でよくある黒色ではなく、紺色だった。セーラー服自体は古典的な形でありながら、斬新な色使いで一際異彩を放っていた。令和4年度にモデルチェンジが実施され、現在はブレザー＋青系チェックスカートの制服に変更されている。特徴的だった金色ラインは、新制服のリボン・ネクタイのストライプの色に受け継がれた。

市立菊里高校

〈きくざと〉

名古屋市 千種区

基本的な形状の白襟セーラー服であるが、スカートの両サイドに入っている白線が他校にはないトレードマークとなっている。
この白線は明治41年、前身校時代に袴の両脇に付けられた白線の袴徽章が由来となっており、実に100年以上の歴史を持つ。
白線のみ学校で購入することもでき、中学時代の制服に縫い付けて着用することも認められている。
令和5年度には、伝統の白線は残しつつ、多様性に対応した形の制服へのモデルチェンジが予定されている。

市立名古屋商業高校

〈なごやしょうぎょう〉

名古屋市 千種区

エンジの蝶ネクタイが特徴的なダブル４つボタンのブレザー制服。蝶ネクタイは名古屋商業高校として設立した昭和23年頃から採用されている歴史のあるもの。令和４年度からはエンジのストレートネクタイも選べるようになった。夏服は平成８年に導入されたセーラーブラウス。シンプルながらも要所を押さえた可愛らしさで、導入から現在に至るまで絶大な人気がある。校章には学校の愛称である「ＣＡ」の文字がデザインされている。

市立工芸高校

〈こうげい〉

名古屋市 東区

ダブル６つボタンの濃紺ブレザー＋紺色ネクタイ＋濃紺スカートの、堅実な印象の制服。平成29年に創立１００周年を迎え、現行の制服が導入された。基本のデザインは昔から変わらないが、ブレザーやネクタイの仕様が少し変わり、スカートが親子ヒダになるなどの改定が行われた。ブレザーの襟に付ける科章は校章を科ごとに色分けしたもので、黄緑・黄・赤・藤色・黒・水色・白の７色がある。

市立北高校
〈きた〉

名古屋市 北区

ダブル4つボタンの濃紺ブレザー＋紺色の細い紐リボン＋濃紺スカートの、古典的な制服。ブラウスは丸襟でピンタックが入っており、紐リボンとの組み合わせが可憐で可愛らしい。学校指定のベストは、中心から少し外れた位置に縦に2つ並ぶボタンと、左胸の大きな「K」マークの刺繍が特徴的。

市立西陵高校

〈せいりょう〉

名古屋市 西区

冬服

夏服

濃紺ブレザー＋ストライプリボンまたはネクタイ＋紺系チェックスカートの、現代的な制服。

平成17年に学科改編によって西陵商業高校から西陵高校に改称した際に、
制服もセーラー服からブレザーに一新された。

ブラウスは白と水色から、タイはリボンとネクタイから選ぶことができる。

以前は公立高校にしては珍しく指定のカバンが存在したが、令和3年度から廃止された。

同じ西区にある山田高校と制服が似ており、どちらも女子生徒からの人気が非常に高い。

市立山田高校

〈やまだ〉

名古屋市 西区

濃紺ブレザー＋ストライプリボンまたはネクタイ＋紺系チェックスカートの、現代的な制服。

西陵高校の後を追うように平成20年に制服を一新し、ともに市内の公立高校で屈指の人気制服となっている。

冬服のブラウスの色は薄いグレー。リボンとネクタイを選ぶことができ、
正装時以外は何も付けないスタイルも可能。

夏服は半袖の開襟オーバーブラウスだが、着用率は低く、夏でも長袖ブラウスを着て過ごす生徒が多い。

市立向陽高校
〈こうよう〉

名古屋市 昭和区

令和３年度入学生まで採用されていた旧制服。

ピークドラペルのブレザーに開襟ブラウスの襟を被せて着るスタイルが特徴的だった。

４本ボックスプリーツのスカートは伝統的な印象。

指定のニットベスト・セーター・カーディガンがそれぞれ２色ずつあり、様々な着こなしを楽しむことができた。

令和４年度にモデルチェンジが実施され、
現在は濃紺ブレザー＋青系ネクタイ＋グレー系スカートの制服に変更されている。

市立工業高校

〈こうぎょう〉

名古屋市 中川区

旧冬服

旧夏服

令和2年度入学生まで採用されていた旧制服。

一見普通のブレザーに見えるが、よく見ると襟がセーラー型になっている、〝セーラーブレザー〟と呼ばれるような制服だった。

平成22年度に導入されたもので、当時としては斬新なデザインだった。

ブレザーの後ろ襟に青色のラインが斜めに2本入っていたのも個性的。

令和3年度にモデルチェンジが実施され、現在はライトグレーのブレザー＋学年色ライン入りネクタイ＋紺系スカートの制服に変更されている。

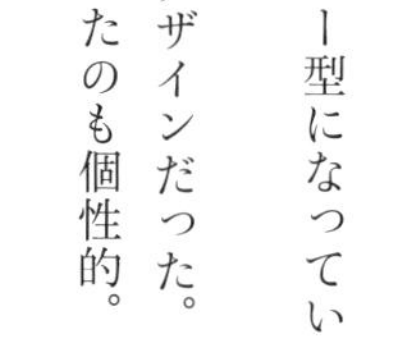

後ろ襟

市立富田高校

〈とみだ〉

名古屋市 中川区

令和3年度入学生まで採用されていた旧制服。明るい紺色のブレザーで、2個のボタンが横一列に並ぶ珍しいデザインだった。生地の色は「とみだブルー」と呼ばれる、メーカーに特注して作られた学校オリジナルカラー。細めのリボンタイが控えめで可愛らしい印象だった。令和4年度にモデルチェンジが実施され、現在はグレー系チェックスカートのブレザーに変更されている。新しいブレザーの色味も「とみだブルー」を基調としている。

市立桜台高校

〈さくらだい〉

名古屋市 南区

紺色の襟に白3本線のオーソドックスなセーラー服だが、県内の他の公立校で昔から採用されているセーラー服とは形状が異なる。平成26年に実施されたマイナーチェンジにより、基本のデザインを保ったまま現在の形に改良された。セーラーの襟はやや小さくなり、ファスナーは前開きに統一。ウエストを絞るプリンセスラインが入ってスリムに見えるようになった。リボンは自分で結ぶ紐状のものから、成型リボンタイに変更された。スカートはひだが少なくなった他、ベルト部分が太くなり、校章が2ヶ所に入るなど、短くできないように工夫されている。

市立緑高校

〈みどり〉

名古屋市 緑区

濃紺ブレザー＋グレー系スカートのシンプルな制服。スカートは幅広の前箱ヒダで、グレンチェックの生地が上品な印象。平成14年というかなり早い時期に、他校に先駆けて女子用のスラックスを導入した。他にも、キュロットスカートも選ぶことができる。平成26年に実施されたマイナーチェンジにより、スカートのベルト部分が太くなるなど、着崩しにくい仕様に変更された。

市立名東高校

〈めいとう〉

名古屋市 名東区

濃紺ブレザー＋ストライプネクタイ＋千鳥格子柄スカートの、英国風の制服。
英語教育に力を入れている校風が制服にも反映されている。
細かい千鳥格子柄のスカートは、遠目で見るとグレーに見える。スカートと同じ生地の指定ベストがあり、
合服として着用する。
上下紺色の質素な制服の多かった公立進学校の中では抜群に革新的な制服で、
昭和59年の創立から現在に至るまで、非常に人気が高い。

市立若宮商業高校

〈わかみやしょうぎょう〉

名古屋市 天白区

濃紺ブレザー＋紺系シャドーチェックスカートの制服。

以前はダブル４つボタンのブレザーだったが、平成29年度に現行の制服にモデルチェンジされた。

トレードマークである桃の花の校章は、ブレザーの襟に付けるバッジから胸元への刺繍に変更された。

旧制服でも採用されていたベストは、形を変えて現行制服にも引き継がれた。

ブラウスは黒色のボタンがアクセントになっている。

国立名古屋大学教育学部附属高校

〈なごやだいがくきょういくがくぶふぞく〉

名古屋市 千種区

名古屋大学の敷地内にある、市内唯一の国立高校。併設型の中高一貫校である。制服はシンプルな濃紺ブレザーで、ベルベット素材のリボンが特徴的。中学校は赤色、高校はこげ茶色のリボンを着用する。夏服は胸ポケットが両側に付いている、少し珍しい形のオーバーブラウス。

名古屋襟のバリエーション

襟のデザインとスカーフやリボンの組み合わせ次第で、セーラー服には無限のパターンが生まれます。ここでは、名古屋襟によく見られるタイプのデザインの一部を紹介します。

襟デザインの種類

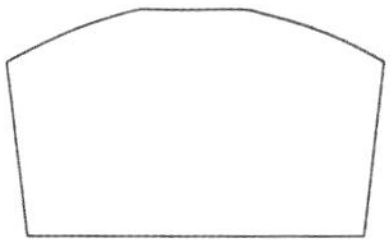

無地

白襟の場合、
このタイプが最も多い。

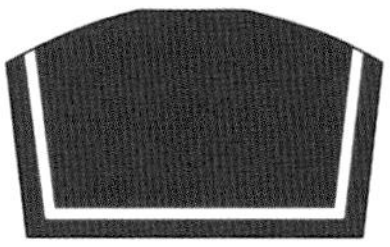

1本ライン

愛知県では一般的だが、
他地域では少数派。

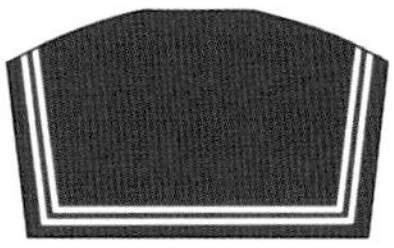

2本ライン

公立中学校の
制服に多い。

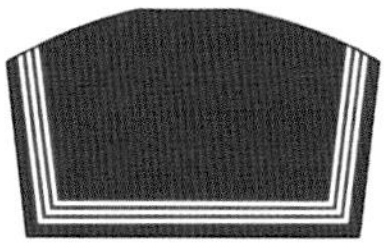

3本ライン

尾張地方の
中学・高校に多い。

親子ライン

外側の線が内側の線より
太い場合が多い。

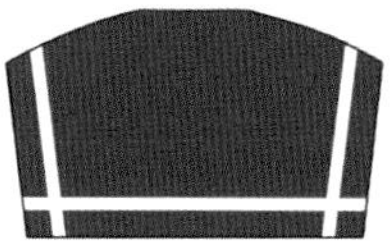

交差ライン

主に三河地方で見られる。
親子ラインとの
融合タイプも存在する。

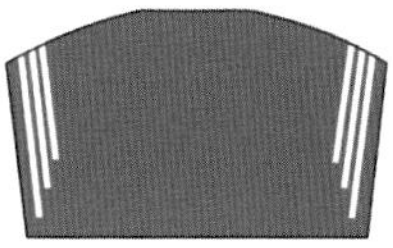

川の字ライン

非常に珍しい。
愛知淑徳中・高の
制服が有名。

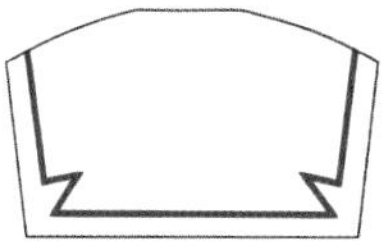

ギザギザライン

非常に珍しい。
尾張地方のごく一部の公立
中学校で採用されている。

スカーフ・リボン・ネクタイの種類

紐リボン

名古屋市内や尾張北西部の
公立校で多く採用されている。
黒色のものが多い。

パータイ

帯状のスカーフのこと。
名古屋襟文化圏では最も主流。
リボン結びにすることが多い。

三角スカーフ

パータイよりも結んだときの
仕上がりが短い。襟の後ろから
三角を出すことができる。

リボンタイ

比較的新しい制服に多い。
大きいものから細いものまで
形状は様々。

ネクタイ

名古屋襟では少数派。
一部の中学校で採用されている。

スカーフ通し

名古屋襟では少数派。
一部の中学校で採用されている。

私立愛知高校

〈あいち〉

名古屋市 千種区

濃紺ブレザー＋ストライプリボン＋グレー系チェックスカートの制服。もともと男子校で、平成17年に共学化した際に現在の女子制服が導入された。併設の中学校もほぼ同じ制服である。リボンはよく見ると学年色の細いラインが入っている。スカートには飾りベルトが付いており、折り曲げ防止の役割も担っている。

私立愛知工業大学名電高校

〈あいちこうぎょうだいがくめいでん〉

名古屋市 千種区

濃紺ブレザー＋ストライプリボン＋紫系チェックスカートの制服。スクールカラーの紫色が随所に取り入れられている。平成25年度に、創立１００周年記念のモデルチェンジにより現行の制服が導入された。以前の制服は緑と紺色のストライプが特徴的なもので、全く異なるデザインだった。併設中学も紫色を基調としたブレザー制服だが、リボンやスカートの柄が異なる。

私立愛知淑徳高校

〈あいちしゅくとく〉

名古屋市 千種区

明るい紺色の生地が特徴的な伝統のセーラー服。水色の襟が爽やかな夏服は特に知名度が高く、人気がある。6月頭にはローカルニュースで衣替えを報じられることが毎年恒例となっており、名古屋の夏の訪れを告げる風物詩のような存在。
平成21年より、完全中高一貫校となった。中学の制服も同じセーラー服で、胸当ての刺繍とスカーフの色が異なる。
襟の3本ラインは後ろで川の字のように途切れており、個性的。

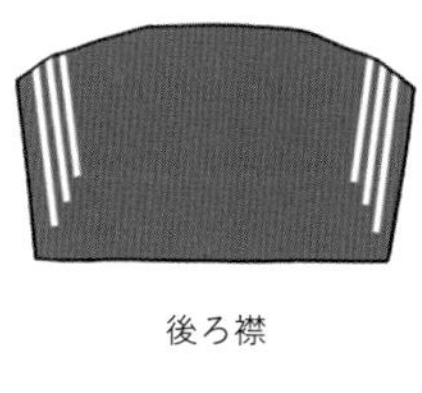

後ろ襟

私立椙山女学園高校

〈すぎやまじょがくえん〉

名古屋市 千種区

丸襟のブラウスとジャンパースカートの上にダブル6つボタンのブレザーを着用する、名門女子校らしい古典的な制服。
ブレザーを脱いだジャンパースカート姿がそのまま合服となる。
ふんわりと蝶結びにするリボンが可愛らしい。高校は紺色、併設中学はエンジ色のリボンを着用する。
夏服として薄手のジャンパースカートと半袖の開襟ブラウスも存在するが、夏期は盛夏服と呼ばれる金ボタンのブラウスを着用する生徒が大半を占める。

私立名古屋経済大学市邨高校

〈なごやけいざいだいがくいちむら〉

名古屋市 千種区

エンジ色ブレザー＋エンジ系チェックスカートの、華やかな色使いの制服。平成29年導入。ＡＫＢ48グループの衣装制作を担うオサレカンパニーと、学生服メーカーのＡＫＡＳＨＩ Ｓ．Ｕ．Ｃ．のコラボブランド「Ｏ．Ｃ．Ｓ．Ｄ．」によってデザインされた。リボンは正装用のシャンパンゴールドの他、ピンクやチェック柄のものも選べる。夏服はセーラーブラウス。襟のラインは背面で交差している。併設中学の制服はエンジ色のボレロジャケット。

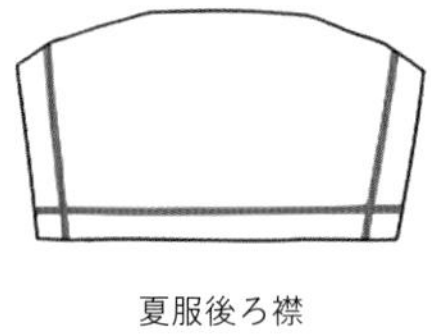

夏服後ろ襟

私立金城学院高校

〈きんじょうがくいん〉

名古屋市 東区

襟と袖口に白い1本線が入った、伝統のセーラー服。

大正10年、日本で最初に上下セパレートのセーラー服を制服として採用したという説がある。

襟のラインはもともと2～3本入っていたが、戦時中の物資不足からラインの数が1本となり、現在に至る。

紅十字の中央に白百合をあしらった校章バッジが印象的で、
胸当てに付けることで制服デザインの一部のようになっている。

完全中高一貫校。中学の制服も同様のセーラー服で、冬は白、夏は紺色のスカーフを付ける。

私立至学館高校

〈しがくかん〉

名古屋市 東区

濃紺ブレザー＋チェックスカートの王道制服だが、指定品のバリエーションが多く組み合わせが豊富。

平成17年に共学化し、中京女子大学附属高校から至学館高校に改称された際に制定された。

ＥＬＬＥのブランド制服を採用している。

リボンはピンク・ブルー・グレーの3種、ブラウスはピンクとサックスの2種のライン入り、

スカートは暖色系グレーと寒色系グレーの2種のチェック柄から選ぶことができる。

ＥＬＬＥのロゴ入りニットの他、市販のベストやカーディガンを着用することもできる。

私立啓明学館高校

〈けいめいがっかん〉

名古屋市 西区

淡いブルーのブラウスと、ピンストライプのスカートが印象的なブレザー制服。平成21年に愛知女子高校から啓明学館高校に改称された際に制定された。デザイナーの森英恵により、「はつらつとした清潔感・品よく・かわいらしく」をテーマにデザインされた。ピンストライプのスカートは珍しいため、他校との判別も容易にできる。

私立名城大学附属高校

〈めいじょうだいがくふぞく〉

名古屋市 中村区

白襟セーラーブラウスの上にベージュのイートンジャケットを着用する、個性的な制服。デザイナーの小野塚秋良によりデザインされたもので、平成11年に男子校から共学化した際に制定された。冬服は特に目立つ色合いのため、一目で判別できる。夏服もスカートが水色基調のチェック柄で華やか。冬用のスカートは正装用のワインレッド系チェック柄の他、オプションでオレンジ系チェック柄のものも選べる。冬服・夏服ともに、セーラーブラウスの襟には月桂樹の刺繍が入っている。

私立同朋高校

〈どうほう〉

名古屋市 中村区

濃紺ブレザー＋ピンクリボン＋グレー系チェックスカートの華やかな制服。厳密には「標準服」と呼ばれており、正装時及び1年生は標準服の着用が義務付けられているが、2年生以降は普段は私服での登校も認められている。スカートは冬服と夏服でチェック柄の形状や色合いがやや異なるが、どちらもピンク色のラインが配されており可愛らしい。

私立桜花学園高校

〈おうかがくえん〉

名古屋市 昭和区

ボタン留め式前開きの、セーラージャケット型の制服。

MICHEL KLEIN Scolaireと桜花学園のコラボレーションにより、平成20年に採用された。

昔からのシンボルである2本ラインのセーラーカラーを継承しつつ、現代的なデザインにアレンジされている。

正装用の紺色リボンと無地のスカートの他、
オプションでピンク・紺系チェックのリボン、紺系チェックのスカートも選ぶことができる。

指定のニットベスト・カーディガンもそれぞれ2色ずつあり、多彩なコーディネートを楽しむことができる。

私立南山高校女子部

〈なんざん〉

名古屋市 昭和区

開襟ブラウスとプリーツのないジャンパースカートの上にイートンジャケットを着用する、個性的な制服。

完全中高一貫校で、6年間同じ制服を着用する。

腰でこま結びにする布ベルトが最大の特徴。よく見ると赤いステッチが入っており、洒落ている。

学校指定のベレー帽も存在するが、現在はほぼ着用されていない。

令和5年度より、スラックスの導入に伴い、ブラウスがリニューアルされる予定。

私立中京大学附属中京高校

〈ちゅうきょうだいがくふぞくちゅうきょう〉

名古屋市 昭和区

冬服

夏服

濃紺ブレザー＋黄色系ストライプネクタイ＋グレー系スカートの、凛々しい印象の制服。

デザイナーの渡辺弘二によりデザインされたもので、平成10年に男子校から共学化した際に制定された。

スカートはかなり細かい格子柄で、一見すると明るいグレーの無地のように見える。

オプションとして赤系ストライプの替えネクタイも存在するが、着用率は低い。

夏服はポロシャツが正装となる。

私立名古屋国際高校

〈なごやこくさい〉

名古屋市 昭和区

濃紺ブレザー＋ストライプリボンまたはネクタイ＋グレー系スカートの、英国風の制服。外国籍の生徒も多く在籍するインターナショナルスクールのため、国籍を問わず似合いやすいデザインとなっている。併設中学からの内部進学生はリボン、高校からの入学生はネクタイを着用する。スカートには飾りベルトがついており、トラッドな印象を強めている。夏服はエンブレム付きのポロシャツが正装となる。

私立愛知みずほ大学瑞穂高校

〈あいちみずほだいがくみずほ〉

名古屋市 瑞穂区

冬服

合服

濃紺ブレザー＋ストライプリボン＋緑と紺のタータンチェックキュロットの、トラッドな印象の制服。ボトムにタータンチェック柄が取り入れられたのは昭和63年。近隣他校にはないデザインで、瑞穂高校のシンボルのようになっている。平成28年度から、スカートがキュロットタイプに変更となった。見た目はほとんどスカートと変わらない。金ボタンの合服ベストや、アーガイル柄入りのニットベスト・カーディガンなどの指定品も人気が高い。

私立名古屋女子大学高校

〈なごやじょしだいがく〉

名古屋市 瑞穂区

黒を基調としたセーラージャケット型の、上品な制服。襟にはグレーのラインが2本入っており、内側の線がやや太くなっている。夏服は白と水色基調の爽やかなセーラー服。関東風の小さい襟がスタイリッシュな印象。併設中学からの内部進学生と、高校からの入学生とはリボンの色が異なる。内部進学生は冬がクリーム色、夏が暗めの水色。高校からの入学生は冬が黒色、夏が明るめの水色となる。

私立名古屋大谷高校

〈なごやおおたに〉

名古屋市 瑞穂区

濃紺ブレザー＋ストライプリボン＋チェックフレアスカートの、珍しい制服。以前はグレー系チェックプリーツスカートの一般的な制服だったが、平成28年に現行の制服にモデルチェンジされた。リボン・スカートの柄や、ニットベスト・カーディガンの配色ラインに紫色が使用されており、大人っぽい印象。夏服のオプション品としてポロシャツも存在するが、着用率は低い。

私立享栄高校

〈きょうえい〉

名古屋市 瑞穂区

令和元年度入学生まで採用されていた旧制服。

黒基調ブレザー＋銀のストライプネクタイ＋グレーの親子ヒダスカートの、シックな制服。

ブレザーの襟の一部にはグレーの縁取りが施されており、ネクタイには学年色のマークが散りばめられていた。

夏服は丸みを帯びた襟が可愛らしいセーラーブラウスで、人気が高かった。

令和2年度にモデルチェンジが実施され、
現在はキャメルのブレザー＋紺系チェックネクタイ＋グレー系チェックスカートの制服に変更されている。

旧冬服

旧夏服

私立名古屋経済大学高蔵高校

〈なごやけいざいだいがくたかくら〉

名古屋市 瑞穂区

濃紺ブレザー＋エンジのリボン＋グレー系チェックキュロットの制服。現代的なデザインに見えるが、原型ができたのは平成３年で、意外にも30年以上の歴史がある。

平成25年度に、スカートがキュロットタイプに変更された。

学校制服へのキュロットの導入は当時としては画期的で、多くのメディアに取り上げられた。

それと同時に、夏服がポロシャツに変更された。女子は白とエンジの２色から選ぶことができる。

併設中学の制服は緑色のリボン、赤色ベースのチェックキュロット。夏服は白もしくは緑のポロシャツとなっている。

私立大同大学大同高校

〈だいどうだいがくだいどう〉

名古屋市 南区

冬服

夏服

濃紺ブレザー＋グレー系リボンもしくはネクタイ＋淡いブルーのブラウス＋紺系チェックスカートの、爽やかな制服。リボンとネクタイは選ぶことができ、更にネクタイは自分で結ぶタイプとワンタッチタイプから選ぶことができる。ブルーのブラウス姿の夏服は、非常に涼しげな出で立ち。

私立菊華高校

〈きくか〉

名古屋市 守山区

濃紺ブレザー＋紫系ストライプリボン＋紺系チェックスカートの、華やかな制服。平成18年度に制定された制服を原型としており、当時はブラウスやリボンを数種類から選ぶことができた。平成24年度にマイナーチェンジが実施され、冬服のブラウスは白とピンクの2種、リボンは1種のみとなった。夏服はセーラーブラウス。合服として長袖のセーラーブラウスも存在する。カーディガンと合わせるスタイルが人気。

私立東邦高校

〈とうほう〉

名古屋市 名東区

緑がかった明るい紺色のブレザー+赤系ストライプリボン+青系ギンガムチェックスカートの、特徴的な色味の制服。

男子校から共学となった昭和60年に制定された制服が原型となっており、
以後数回のマイナーチェンジを経て現在のデザインに至る。

グリニッシュブルーと呼ばれるブレザーの色味は制定当初から変わらず、東邦高校の象徴となっている。

夏服は半袖ブラウス・白のポロシャツ・紺のポロシャツの3種から自由に選択できる。

私立東海学園高校

〈とうかいがくえん〉

名古屋市 天白区

濃紺ブレザー＋グレー系スカートのオーソドックスな制服だが、指定品のバリエーションが多く組み合わせが豊富。

リボンは紺色と黄色のストライプ（大きめ）と赤系（小さめ）の2種、
ブラウスは白と水色の2種から選ぶことができる。

また、スカートはラップスカート風のキュロットタイプも選択できる。

夏服はセーラー風のオーバーブラウス。襟が菱形のような形をしており珍しい。

平成〜令和 着こなしトレンドの変遷

女子高生の制服の着こなし方は、時代によって全く異なるもの。平成から令和にかけての着こなしトレンドの移り変わりを紹介します。

平成初期

コギャル文化が一世を風靡し、明るい茶髪にルーズソックスの女子高生が大量発生しました。制服は派手に着崩すのが当たり前。バブルの名残から、持ち物もバーバリーのマフラーやラルフローレンのニットなど、ブランド志向でした。

平成中期

ルーズソックスが衰退し、紺ソックスが主流に。やや清楚系へシフトしたものの、制服の着崩しはまだまだ続きます。持ち物はユニクロなどのファストファッションや、イーストボーイなどのティーン向けブランドが人気となりました。

ブリーチで明るい茶髪
細眉ブーム
他校のスクバ
持ち手の片方は垂らす
ラルフローレンのベスト
とにかく飾ったもん勝ち!
(ハイビスカスが人気)
日焼けサロンで焼いてる
ルーズソックス全盛期
超ミニスカ
ソックタッチ(靴下止め)必須!
靴はローファー一択
ストレートパーマでまっすぐサラサラ
毛先シャギーでスカスカ
目元強調メイク
リボンの紐を伸ばして垂らす
スクバは合皮が人気
飾りも必須
メンズサイズのカーディガン
イーストボーイの紺ハイソックス

平成後期

「制服は着崩さずにきちんと着るのが可愛い」という風潮が生まれ、学校指定のアイテムを校則通り身に着けるスタイルが基本となりました。緩められないリボンや短くしにくいスカートなど、学校側も着崩し防止アイテムを積極的に取り入れるようになりました。

令和 ※5年現在

制服を校則通り着るスタイルは平成後期から変わらないものの、着こなしはややカジュアル化し、足元はショート丈のソックスにスニーカーが多数派に。鞄はリュックが主流。ローファーにスクールバッグ以外はありえなかった平成初期～中期から見ると信じがたい変化です。

瀬戸市

県立瀬戸高校〈せと〉

花井幸子デザインによる、紫がかった紺色が美しいブレザー。
※令和5年度モデルチェンジ予定

県立瀬戸西高校〈せとにし〉

ボタンが横並びの珍しいブレザー。銀色のリボンでフォーマルな印象。

県立瀬戸北総合高校〈せときたそうごう〉

爽やかなブルーのシャツとチェックのスカートがおしゃれな制服。

県立瀬戸工科高校〈せとこうか〉

紫がかった深い色味のリボンとチェックスカートが上品な印象の制服。

私立聖霊高校〈せいれい〉

ボレロ+フレアーワンピースの希少な制服。正装時はベレー帽を着用する。

私立聖カピタニオ女子高校〈せいかぴたにおじょし〉

聖母マリアを象徴する青色のリボンを旧制服から引き続き取り入れている。

県立春日井高校
〈かすがい〉

えび茶色２本線入りの白襟セーラー服。
前身校から派生した歴史あるデザイン。

県立春日井西高校
〈かすがいにし〉

明るい紺色のブレザーと
エンジ色の細いリボンタイが特徴的。

県立春日井東高校
〈かすがいひがし〉

紺１本線入りの白襟セーラー服。
袖口にもラインがあるのがポイント。

県立高蔵寺高校
〈こうぞうじ〉

銀色の３本線とリボンが美しい、
明るい紺色のセーラー服。

県立春日井南高校
〈かすがいみなみ〉

丸襟ブラウスとエンジ色のクロスタイが
レトロで可愛らしい制服。
※令和５年度モデルチェンジ予定

県立春日井工科高校
〈かすがいこうか〉

銀１本線入りの白襟セーラー服。
スカーフも銀色で上品な印象。
※令和４年度モデルチェンジ済み

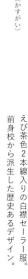

県立春日井商業高校

〈かすがいしょうぎょう〉

水色のネクタイは、学校の所在地である大泉寺にちなんだといわれている。

※平成30年度モデルチェンジ済み
※令和5年度「春日井泉高校」に校名変更予定

私立中部大学春日丘高校

〈ちゅうぶだいがくはるひがおか〉

渡辺弘二デザインのスペンサージャケット。中高一貫コースは赤いリボンを着用。

尾張旭市

県立旭野高校

〈あさひの〉

今では希少なダブルイートンジャケット。淡い青色のリボンは硫酸銅の色を表す。

豊明市

県立豊明高校

〈とよあけ〉

赤いネクタイがよく映える、シンプルな上下紺色のブレザー。

※令和3年度モデルチェンジ済み

私立星城高校

〈せいじょう〉

森英恵デザインの制服。平成初期に流行したスペンサージャケット型。

※令和2年度モデルチェンジ済み

日進市

県立日進高校

〈にっしん〉

水色のラインとリボンが涼しげな、明るい紺色のセーラー服。

県立日進西高校
〈にっしんにし〉

鋭いピークドラペルの襟と、紫味を帯びた紺色の生地が特徴のブレザー制服。

私立中部大学第一高校
〈ちゅうぶだいがくだいいち〉

ピンクの配色が可愛らしい印象の制服。ブレザー上襟のパイピングがポイント。

長久手市

県立長久手高校
〈ながくて〉

丸襟のブラウスや明るいグレーのスカートが優しい印象の制服。

私立栄徳高校
〈えいとく〉

セーラーブレザーの制服。スカートのヒダの内側にストライプ柄が隠れている。

東郷町

県立東郷高校
〈とうごう〉

一番上以外のボタンが隠れている、個性的な黒色のセーラーブレザー。

※令和4年度モデルチェンジ済み

一宮市

県立一宮高校
〈いちのみや〉

一宮市内の公立校で多く採用されている、3本線のセーラー服の原型。

県立一宮西高校

〈いちのみやにし〉

前身校である一宮高校と全く同じセーラー服。
校章のみ異なる。

県立一宮北高校

〈いちのみやきた〉

北斗七星のワッペンを胸当てに付ける。
制服自体は一宮高校などと同じ。

県立一宮南高校

〈いちのみやみなみ〉

少し緑がかった青色のネクタイが
トレードマークのブレザー制服。

県立一宮興道高校

〈いちのみやこうどう〉

※令和2年度マイナーチェンジ、令和4年度モデルチェンジ済み

明るい紺色のブレザーと金色のネクタイが
非常に個性的な制服。

県立一宮工科高校

〈いちのみやこうか〉

オーソドックスな紺色のブレザー。
ストライプ柄のネクタイがおしゃれ。

県立一宮商業高校

〈いちのみやしょうぎょう〉

一宮高校と全く同じセーラー服が採用
されている。左襟に学年章を付ける。

※令和5年度モデルチェンジ予定

県立木曽川高校

〈きそがわ〉

赤と青のストライプ柄のリボンがブリティッシュで可愛らしい。

※令和5年度モデルチェンジ予定

県立一宮起工科高校

全日制課程

〈いちのみやおこしこうか〉

紺色の大きなリボンが印象的なセーラー服。定時制課程はブレザーの制服。

県立尾西高校

〈びさい〉

ラインとリボンが銀色のセーラー服。袖口にもラインがあるのが珍しい。

※令和5年度学校統合によりモデルチェンジ予定

私立大成高校

〈たいせい〉

細部にあしらわれたピンク色が可愛らしい、グレー基調の落ち着いた制服。

私立修文学院高校

〈しゅうぶんがくいん〉

修文女子高時代の制服。愛知県では珍しい、関東襟のセーラー服。

※令和4年度モデルチェンジ済み

稲沢市

県立稲沢東高校

〈いなざわひがし〉

水色のステッチ入りの明るい紺色のブレザーと水色のネクタイが特徴的。

※平成30年度モデルチェンジ済み

※令和5年度学校統合によりモデルチェンジ予定

県立稲沢高校

〈いなざわ〉

ボレロのような珍しい形のジャケット。スカートは親子プリーツ。

※令和5年度学校統合によりモデルチェンジ予定

県立杏和高校

〈きょうわ〉

白襟セーラーブラウスの上にグレーの襟なしジャケットを着用する。

私立愛知啓成高校

〈あいちけいせい〉

くすみピンクのリボンが可愛らしい、現代的なブレザー制服。

津島市

県立津島高校

〈つしま〉

胸当てに付けるSマークのバッジが特徴的。リボンは紺もしくは黒。

県立津島東高校

〈つしまひがし〉

銀2本線入りの白襟に銀色のスカーフを結ぶ、気品のあるセーラー服。

※令和5年度モデルチェンジ予定

県立津島北高校

〈つしまきた〉

オーソドックスな2本線のセーラー服。公立校には珍しく、指定のバッグが存在する。

弥富市

県立海翔高校〈かいしょう〉

薄い水色襟のセーラーブラウスの上に襟なしジャケットを着用する。
※令和2年度モデルチェンジ済み

私立愛知黎明高校 普通科〈あいちれいめい〉

ブラウンを基調としたセーラーブレザー。学科によって制服が異なる。

犬山市

県立犬山高校〈いぬやま〉

昭和30年代から変わらない、伝統の2本線セーラー服。

県立犬山南高校〈いぬやまみなみ〉

赤系のリボンとチェックスカートが非常に華やかな制服。
※令和4年度モデルチェンジ済み
※令和5年度「犬山総合高校」に校名変更予定

江南市

県立尾北高校〈びほく〉

明るい紺色の生地と赤い蝶ネクタイが特徴的な白襟セーラー服。

県立江南高校〈こうなん〉

明るい紺色の襟なしジャケットと大きな水色のリボンが可愛らしい。
※令和5年度モデルチェンジ予定

県立古知野高校

〈こちの〉

グレーの格子柄のスカートと、3本線入りの指定ニットベストが特徴的。

私立滝高校

〈たき〉

グレー基調のネクタイが大人っぽい印象。スカートは親子プリーツ。

小牧市

県立小牧高校

〈こまき〉

緑色のリボンとチェックスカートがシックでおしゃれな制服。

県立小牧南高校

〈こまきみなみ〉

ダブルのブレザーにオレンジ色のネクタイが唯一無二で個性的な制服。

※令和3年度モデルチェンジ済み

県立小牧工科高校

〈こまきこうか〉

胸当てに付ける校章バッジが印象的な白襟セーラー服。

※令和3年度モデルチェンジ済み

私立誉高校

〈ほまれ〉

現代的なブレザー。ネクタイも選択できる。昭和58年の開校から4代目のモデル。

※令和5年度モデルチェンジ予定

岩倉市

県立岩倉総合高校〈いわくらそうごう〉

ギンガムチェックのリボンが可愛らしい、スペンサージャケット型の制服。
※令和3年度マイナーチェンジ済み（シングルブレザーに変更）

愛西市

県立佐屋高校〈さや〉

淡い水色の線入り白襟セーラーブラウスの上に襟なしジャケットを着用する。

県立愛西工科高校〈あいさいこうか〉

青色の大きなリボンが可愛らしいセーラー服。佐織工業高時代の制服。
※令和3年度モデルチェンジ済み

私立清林館高校〈せいりんかん〉

赤系チェックのリボン・ネクタイとスカートが非常に華やかな制服。

北名古屋市

県立西春高校〈にしはる〉

銀1本線入りの白襟セーラー服。明るい紺色の生地に銀色が映える。

清須市

県立新川高校〈しんかわ〉

水色のリボンが特徴的なブレザー。ブラウスが丸襟で柔らかい印象。
※令和4年度モデルチェンジ済み

扶桑町

県立丹羽高校〈にわ〉

明るい紺色のブレザーに緑色のリボンを
合わせる、彩り豊かな制服。

私立誠信高校〈せいしん〉

現代的なブレザー。リボンの色使いが珍しい。
家庭洗濯対応など、機能性も重視。

あま市

県立美和高校〈みわ〉

オーソドックスなブレザー。
エンジ色のネクタイがシンプルでクール。
※令和5年度モデルチェンジ予定

県立五条高校〈ごじょう〉

深緑色のリボンは、形を変えながらも
創立当初から続いているシンボル。

半田市

県立半田高校〈はんだ〉

浅めの襟のセーラー服に、
白いスカーフを大きくふんわりと結ぶ。
※令和4年度ブレザータイプの制服追加

県立半田東高校〈はんだひがし〉

ブレザーの襟にさりげなく縁取りが
施されている。校章の形が印象的。
※令和4年度モデルチェンジ済み

県立半田工科高校

〈はんだこうか〉

ライトグレー基調のスカートが特徴的。ネクタイには学年色で校章の刺繍が入る。

※令和3年度モデルチェンジ済み

県立半田農業高校

〈はんだのうぎょう〉

上下グレーの珍しい制服。ブラウスには赤のストライプが入っている。

県立半田商業高校

〈はんだしょうぎょう〉

緑がかった色味のブレザーが特徴的。スカートと同じ柄のベストを着用する。

常滑市

県立常滑高校

〈とこなめ〉

エンジ色の2本線入り白襟セーラーブラウスの上に襟なしジャケットを着用する。

※令和5年度モデルチェンジ予定

東海市

県立横須賀高校

〈よこすか〉

昭和28年から一度も変わっていない、伝統の2本線セーラー服。

県立東海南高校

〈とうかいみなみ〉

グレーの2本線入りセーラー服。リボンの先端をV字に切るアレンジが人気。

大府市

県立東海樟風高校〈とうかいしょうふう〉

東海商業高時代の制服。スカートは左右にヒダがない珍しい形状。

※令和3年度モデルチェンジ済み

県立大府高校〈おおぶ〉

太い白1本線と、大きくふんわりと結ぶ黒いリボンが特徴的なセーラー服。

※令和5年度ブレザータイプの制服追加予定

県立大府東高校〈おおぶひがし〉

ブラウスの襟元の刺繍や、スカートの裾のラインがさりげないポイント。

※平成30年度より指定リボン着用

県立桃陵高校〈とうりょう〉

桃がデザインされた校章バッジが印象的。ブラウスが丸襟で可愛らしい。

知多市

県立知多翔洋高校〈ちたしょうよう〉

青色を基調とした現代的なブレザー制服。水色のブラウスが爽やか。

※令和1年度マイナーチェンジ済み

阿久比町

県立阿久比高校〈あぐい〉

明るい紺色のブレザー。銀色のネクタイが控えめで上品。

東浦町

県立東浦高校〈ひがしうら〉

鮮やかな青色の生地とスカートの黒線が特徴的な、関東襟のセーラー服。
※令和5年度モデルチェンジ予定

南知多町

県立内海高校〈うつみ〉

個性的なデザインの明紺ジャケットに、巻きスカート風キュロットの制服。
※令和3年度モデルチェンジ済み

武豊町

県立武豊高校〈たけとよ〉

エンジ色のネクタイが特徴的。知多半島唯一のボックスプリーツスカート。
※令和5年度モデルチェンジ予定

美浜町

私立日本福祉大学付属高校〈にほんふくしだいがくふぞく〉

ヒロミチナカノデザインの制服。青と黄色の格子柄のスカートが特徴。

岡崎市

県立岡崎高校〈おかざき〉

ダブル4つボタンブレザーの下に衿型のジャンパースカートを着用する。

県立岡崎北高校〈おかざききた〉

銀色のリボンが上品な印象。ブラウスにはピンタックが入っている。

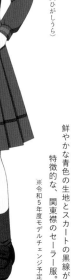

県立岡崎東高校

〈おかざきひがし〉

岡崎市の特産品のむらさき麦を由来とし、各所に紫色が使われている。

県立岡崎西高校

〈おかざきにし〉

エンジ色の大きなリボンが可愛らしい。スカートは親子プリーツ。

県立岩津高校

〈いわづ〉

チェックスカートの色味が上品な制服。リボンの色は学年ごとに異なる。

県立岡崎工科高校

〈おかざきこうか〉

ヘリンボーン地の紺色ブレザーに、校章入りの学年色ネクタイを着用する。

県立岡崎商業高校

〈おかざきしょうぎょう〉

西三河地域に特有の、ふんわりと結ぶ大きなリボンが特徴的なセーラー服。

※令和4年度モデルチェンジ済み

私立人間環境大学附属岡崎高校

〈にんげんかんきょうだいがくふぞくおかざき〉

ベネトンの制服。ブレザーの上襟とポケットにパイピングが入る。

※令和4年度モデルチェンジ済み

私立光ヶ丘女子高校
〈ひかりがおかじょし〉

指定のベレー帽や三つ折り靴下、ストラップシューズなどが存在する。

私立岡崎城西高校
〈おかざきじょうせい〉

コムサ・デ・モードの制服。チャコールグレー基調で大人っぽい印象。

私立愛知産業大学三河高校
〈あいちさんぎょうだいがくみかわ〉

リボンがグレー基調で、珍しい色合い。同柄のネクタイも選べる。

碧南市

県立碧南高校
〈へきなん〉

愛知県では珍しい、浅い襟のセーラー服。リボンはかなり大きく結ぶ。

県立碧南工科高校
〈へきなんこうか〉

オーソドックスなブレザー。赤と白のストライプ柄のネクタイが印象的。

刈谷市

県立刈谷高校
〈かりや〉

白襟カバーにエンジ色の1本ラインとリボンが映える、伝統のセーラー服。

※令和5年度ブレザータイプの制服追加予定

県立刈谷北高校
〈かりやきた〉

後ろ襟で交差する白いラインが特徴的なセーラー服。遠目でもよく目立つ。
※令和4年度ブレザータイプの制服追加

県立刈谷東高校
〈かりやひがし〉

水色を基調としたチェックスカートが爽やかな制服。昼間定時制の高校。

国立愛知教育大学附属高校
〈あいちきょういくだいがくふぞく〉

ブレザーの下襟左側にスカートと同柄のチェック柄が配されている。
※令和1年度マイナーチェンジ済み

豊田市

県立豊田西高校
〈とよたにし〉

太線と細線の親子ラインが後ろ襟で合流する、個性的な白襟セーラー服。

県立豊田東高校
〈とよたひがし〉

ヒロミチナカノデザインによる、グレーを基調としたシックな制服。

県立衣台高校
〈ころもだい〉

格子柄入りのおしゃれなブレザー。細かいドット柄のネクタイも個性的。

県立豊田北高校

〈とよたきた〉

明るい紺色のブレザー。赤色の細いリボンタイが可憐で可愛らしい。

県立豊田南高校

〈とよたみなみ〉

銀色のラインとリボンが上品な、明るい紺色のセーラー服。

県立豊田高校

〈とよた〉

明るい紺色のブレザー。水色の細いリボンタイが爽やかな印象。

※令和5年度モデルチェンジ予定

県立豊野高校

〈ゆたかの〉

明るい紺色のブレザーと赤いネクタイのコントラストが鮮やかな制服。

※令和5年度モデルチェンジ予定

県立猿投農林高校

〈さなげのうりん〉

エンブレム付きのブレザー。小ぶりのストライプ柄リボンが可愛らしい。

県立松平高校

〈まつだいら〉

赤と青の太めのストライプ柄ネクタイが印象的なブレザー制服。

県立加茂丘高校
〈かもがおか〉

深緑のブレザーとグレーのスカートが
大人っぽい印象の制服。

私立杜若高校
〈とじゃく〉

グレーを基調としたセーラージャケット。
リボンの色など種類が豊富。

私立豊田大谷高校
〈とよたおおたに〉

黒と赤から成るスタイリッシュな制服。
ブラウスの前立ての刺繍が特徴的。
※令和1年度マイナーチェンジ済み

安城市

私立南山国際高校
〈なんざんこくさい〉

花井幸子デザインによる、英国風のブレザー。
着用は任意で標準服扱い。
※令和4年度末をもって閉校

県立安城高校
〈あんじょう〉

ふんわりと結ぶ黒いリボンと、
胸当てのAの刺繍が印象的なセーラー服。

県立安城東高校
〈あんじょうひがし〉

青いネクタイがトレードマークの、
古典的なブレザー制服。

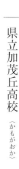

県立安城南高校

〈あんじょうみなみ〉

ヘリンボーン地の黒系のブレザーに、エンジ色のリボンがよく映える。

県立安城農林高校

〈あんじょうのうりん〉

タキシードのようなショールカラーのブレザー。ボタンは一つのみ。

※令和3年度モデルチェンジ済み

私立安城学園高校

〈あんじょうがくえん〉

花井幸子デザインの制服。金色のボタンや紺色の大きなリボンが印象的。

西尾市

県立西尾高校

〈にしお〉

愛知県では珍しい、浅い襟のセーラー服。紺色のスカーフを大きく結ぶ。

県立西尾東高校

〈にしおひがし〉

シンプルな紺色のブレザー。明るい青色のネクタイが特徴的。

県立鶴城丘高校

〈かくじょうがおか〉

暗めの紺色のブレザーにストライプ柄ネクタイの、大人っぽい印象の制服。

県立一色高校〈いっしき〉

タータンチェックのスカートが印象的な、平成期らしいブレザー制服。

県立吉良高校〈きら〉

高級感のある配色のリボンと、水色のブラウスが特徴的なブレザー制服。

知立市

県立知立高校〈ちりゅう〉

浅めの襟と銀色のライン、リボンタイが洗練された印象のセーラー服。

県立知立東高校〈ちりゅうひがし〉

明るい紺色のブレザー。リボンの色は学年によって異なる。

高浜市

県立高浜高校〈たかはま〉

重厚感のあるダブル金ボタンの、英国風ブレザー。リボンの配色が特徴的。

幸田町

県立幸田高校〈こうた〉

グレー系のストライプ地のセーラーブレザー。さりげなくパイピングが施されている。

みよし市

県立三好高校〈みよし〉

グレーを基調としたシックなブレザー制服。赤いネクタイがよく映える。

豊橋市

県立時習館高校〈じしゅうかん〉

シンプルなブレザー制服。青系ストライプのネクタイがクールな印象。

県立豊橋東高校〈とよはしひがし〉

菱形へちま襟の変形白襟セーラー服。襟先に付ける校章バッジがアクセント。

県立豊丘高校〈ゆたかがおか〉

青緑色の生地が特徴的なブレザー。エンジのクロスタイがレトロな印象。

※令和5年度モデルチェンジ予定

県立豊橋南高校〈とよはしみなみ〉

白い襟カバー付きの個性的なジャケット。校章入りのネクタイが印象的。

県立豊橋西高校〈とよはしにし〉

水色の細いリボンタイが特徴的。丸襟のブラウスが柔らかい印象。

※令和2年度モデルチェンジ済み

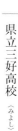

県立豊橋工科高校
〈とよはしこうか〉

ふんわりと手結びするエンジ色のリボンが華やかで可愛らしい制服。

県立豊橋商業高校
〈とよはししょうぎょう〉

紺色の生地に黒いラインとネクタイがシックな印象のセーラー服。

※令和5年度モデルチェンジ予定

私立桜丘高校
〈さくらがおか〉

目の覚めるような明るい青色のブレザーが爽やかな制服。ブラウスは水色。

私立藤ノ花女子高校
〈ふじのはなじょし〉

ストライプ地の4つボタンブレザー。ネクタイは赤とゴールドから選べる。

私立豊橋中央高校
〈とよはしちゅうおう〉

森英恵デザインの制服。金色のボタンや青ストライプのブラウスが印象的。

豊川市

県立国府高校
〈こう〉

シンプルな白襟セーラー服だが、生地が黒色で珍しい。襟はやや浅め。

県立宝陵高校
〈ほうりょう〉

セーラー服のような珍しい形状のジャケット。襟のクリーム色の縁取りは前身校由来。

※令和5年度モデルチェンジ予定

県立小坂井高校
〈こざかい〉

明るい紺色のブレザー。近年、紐リボンが成型リボンタイに変更された。

県立御津高校
〈みと〉

丸みを帯びた襟が優しい印象のブレザー。リボンは鮮やかな赤色。

※令和5年度「御津あおば高校」に校名変更及びモデルチェンジ予定

私立豊川高校
〈とよかわ〉

上襟の色が異なるブレザーや、裾に切り替えのあるスカートが斬新な制服。

蒲郡市

県立蒲郡高校
〈がまごおり〉

赤青のギンガムチェックのリボンや、水色のブラウスがおしゃれな制服。

県立蒲郡東高校
〈がまごおりひがし〉

青色を基調とした現代的なブレザー制服。私立高校のようで人気が高い。

県立三谷水産高校

〈みやすいさん〉

襟に青色のパイピングが入ったセーラーブレザー。クロスタイも個性的。

新城市

県立新城有教館高校

〈しんしろゆうきょうかん〉

O.C.S.D.デザインの制服。パイピング入りのショールカラーが特徴的。

設楽町

県立田口高校

〈たぐち〉

愛知県ならではの、大きな白襟のセーラー服。東三河地方では珍しい。

※令和4年度モデルチェンジ済み

田原市

県立成章高校

〈せいしょう〉

チャコールグレーのブレザー。スカートのヒダの内側に模様が隠れている。

県立渥美農業高校

〈あつみのうぎょう〉

緑色のブレザーが特に印象的な、農業高校らしいアースカラーの制服。

県立福江高校

〈ふくえ〉

地元の川や太平洋をイメージしたブルーが使われている、爽やかな制服。

"旧制服" 目録

モデルチェンジや学校の統廃合によって引退した、個性豊かな旧制服を紹介します。
※平成期に引退したものの一部を抜粋して掲載しております。

私立中京女子大学附属高校

（現：私立至学館高校）

平成14年度入学生を最後に、モデルチェンジによって引退。冬服は身頃がクリーム色、夏服は襟とスカートが鮮やかな水色のセーラー服で、他に類を見ない個性的な配色であったことから、県内のみならず全国的にも有名な制服だった。夏服は特に人気が高く、映画に登場する制服のモデルになったこともある。ミニスカート＋ルーズソックスの全盛期を迎えてから引退したため、現在もその着こなしのイメージが根強く残っている。なお、平成17年に共学化し、校名が至学館高校に変更された際に、再度モデルチェンジが実施されている。

県立愛知工業高校

（現：県立愛知総合工科高校）

平成27年度入学生を最後に、学校統合に伴う閉校によって引退。名古屋市では珍しい、緑系のブレザーだった。

県立緑丘商業高校

（現：県立緑丘高校）

平成29年度入学生を最後に、学科改編に伴うモデルチェンジによって引退。飾りボタン付きのグレーのスカートが印象的だった。

市立緑高校

平成13年度入学生を最後に、モデルチェンジによって引退。ボタンが7つある、超個性的なジャケットだった。

市立若宮商業高校

平成28年度入学生を最後に、モデルチェンジによって引退。桃の花の校章は、現行制服では刺繍に変更された。

私立愛知工業大学名電高校

平成24年度入学生を最後に、モデルチェンジによって引退。緑と紺色のストライプ柄のスカートは、スイカ柄と呼ばれていた。

私立桜花学園高校

平成19年度入学生を最後に、モデルチェンジによって引退。伝統的な名古屋襟のセーラー服に、ストラップシューズを着用した。

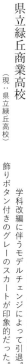

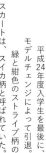

私立名古屋大谷高校

平成28年度入学生を最後に、モデルチェンジによって引退。ブレザーのボタンが4つあり、珍しかった。

私立享栄高校

平成22年度入学生を最後に、モデルチェンジによって引退。グレーと黒のツートンカラーのブレザーが個性的だった。

県立五条高校

平成28年度入学生を最後に、モデルチェンジによって引退。緑色のパータイは、わかめリボンという愛称で親しまれていた。

私立聖カピタニオ女子高校

平成18年度入学生を最後に、モデルチェンジによって引退。可愛らしい蝶ネクタイの引退は多くの人に惜しまれた。

私立滝高校

平成16年度入学生を最後に、モデルチェンジによって引退。緑を帯びた明るい紺色の生地が特徴的だった。

私立栄徳高校

平成28年度入学生を最後に、モデルチェンジによって引退。青系のチェック柄のスカートが華やかで、人気が高かった。

県立常滑北高校

（現：常滑高校）

平成17年度入学生を最後に、学校統合に伴う閉校によって引退。名古屋襟のセーラー服には珍しく、スカーフ留めが付いていた。

私立岡崎学園高校

（現：私立人間環境大学附属岡崎高校）

平成24年度入学生を最後に、モデルチェンジによって引退。森英恵デザインの制服で、人気が高かった。

県立新城高校

（現：県立新城有教館高校）

平成30年度入学生を最後に、学校統合に伴う閉校によって引退。襟がクリーム色で縁取りされた、珍しいセーラー服だった。

県立新城東高校

（現：県立新城有教館高校）

平成30年度入学生を最後に、学校統合に伴う閉校によって引退。名古屋襟から関東襟へのマイナーチェンジを経たセーラー服。

県立福江高校

平成25年度入学生を最後に、モデルチェンジによって引退。東三河地域に特徴的な、菱形へちま襟の変形セーラー服だった。

おわりに

私が初めて制服に興味を持ったのは、中学3年生の時でした。志望校の高校見学会に参加した際に、学校ごとの個性豊かな様々なデザインの制服を着た中学生参加者が一堂に会したのを見て、制服にはこんなにたくさんの種類があるのか！　と驚いたことがきっかけでした。それからはインターネットを使って無我夢中で制服について調べ、可愛いと思った制服を次々とイラストに描くようになりました。

そんな若き日の思い出がありますので、愛着のある制服たちがモデルチェンジによって姿を変えていっていることに、ことさら哀愁を感じてしまいます。今はまさに、制服文化のあり方が変わっていく過渡期なのかと思います。そんな時代に、書籍という形で制服の記録を残すことができ、本当に良かったと思っています。出版の機会を与えてくださった桜山社代表の江草三四朗様、装丁やレイアウトをすてきに仕上げてくださったデザイナーの三矢千穂様、本当にありがとうございました。また、当書の制作にあたって、学校記念誌等の資料提供にご協力いただき、内容についても親身にアドバイスをくださった柏瀬善彦様、県内の高校の制服モデルチェンジ情報を定期的にご提供くださった鈴木将様、某高校の制服モデルチェンジ情報の詳細確認にご協力いただいた後岡清英様のご厚意に、心より感謝申し上げます。

最後に、私的な事情によりしばらく活動休止状態が続いているにも関わらず、応援を続けてくださっている各種ＳＮＳフォロワーの皆様、いつも本当にありがとうございます。今後も制服の未来を温かく見守っていきたいと思います。また、どこかでお会いできる日まで。

【参考文献】
・各学校記念誌（金城学院創立百周年記念文集［みどり野］／目で見る金城学院の100年史／桜台高校60周年記念誌／愛知県第一高等女学校史／菊里高校創立百周年記念誌／鯱光百年史／名古屋西高校創立90周年記念誌）
・刑部芳則著『セーラー服の誕生：女子校制服の近代史』2021 法政大学出版局
・森伸之監修 内田静枝編著『ニッポン制服百年史』2019 河出書房新社
・早瀬主訓著『愛知県女子高校生制服図鑑 2002-2003』2002 マック出版
・各学校公式ウェブサイト
・株式会社明石スクールユニフォームカンパニー 公式Twitter（https://twitter.com/akashi_suc）
・みんなの高校情報（https://www.minkou.jp/hischool/）
・高校受験ナビ（https://www.zyuken.net/）

【著者紹介】

さといも屋

岐阜県出身、愛知県在住。中学時代から趣味で女子中高生の制服イラストを描くようになり、インターネット上に投稿していた。大学卒業後に同人活動を開始し、制服をテーマにした同人誌を定期的に発行。東海地区でのイベントを中心に、同人誌即売会にも多数出展した。令和元年より同人活動を休止し、オンラインにて創作活動を継続中。制服以外の趣味は、アイドルのライブ鑑賞。

Twitter @petit_flare
Mail petit.flare.xoxo@gmail.com

愛知県JK制服目録

2023年3月24日 初版第1刷 発行

著者 さといも屋
発行人 江草三四朗
発行所 桜山社
〒467-0803
名古屋市瑞穂区中山町5-9-3
Tel 052-853-5678
Fax 052-852-5105
Mail info@sakurayamasha.com
HP https://www.sakurayamasha.com

ブックデザイン 三矢千穂
印刷・製本 シナノパブリッシングプレス

ISBN978-4-908957-23-9 C0095

桜山社は、

今を自分らしく全力で生きている人の思いを大切にします。
その人の心根や個性があふれんばかりにたっぷりとつまり、
読者の心にぽっとひとすじの灯りがともるような本。
わくわくして笑顔が自然にこぼれるような本。
宝物のように手元に置いて、繰り返し読みたくなる本。
本を愛する人とともに、一冊の本にぎゅっと愛情をこめて、
ひとりひとりに、ていねいに届けていきます。